* * *

MERERID HOPWOOD

Lluniau gan

RHYS BEVAN JONES

Gomer

Cyfarwyddiadau

Annwyl Ddarllenydd,

Croeso i Ddosbarth Miss Prydderch. A diolch i ti am fod yn barod i fentro ar y daith!
Cofia:

★ Pan fyddi di'n gweld yr arwydd hwn yn y llyfr, os oes gen ti amser, gwibia draw i **www.missprydderch.cymru** i gael mwy o wybodaeth.

★ Weithiau byddi di'n gallu gweld llun neu esboniad yno.
Does dim rhaid i ti eu darllen nhw, ond bysen ni'n dau'n hoffi meddwl dy fod yn gwneud.

★ Ar ymyl ambell dudalen bydd sylwadau bach mewn bybls gan naill ai fi neu Alfred

★ Os nad wyt ti'n hoffi'r darluniau, dim problem – gelli di ddychmygu rhai gwahanol yn eu lle. Wedi'r cyfan, dim ond dychymyg sy'n dweud beth yw lliw a llun pethau mewn llyfrau fel y llyfrau hyn.

Gan obeitho'n fawr y byddi di'n mwynhau'r stori a'r siwrnai.

Gyda dymuniadau gorau,

Yr un sy'n dweud y stori

Cyhoeddwyd gyntaf yn 2018 gan Wasg Gomer,
Llandysul, Ceredigion SA44 4JL
www.gomer.co.uk

ISBN 978 1 78562 253 3

Cyhoeddwyd gyda chymorth ariannol
Cyngor Llyfrau Cymru.

Argraffwyd a rhwymwyd yng Nghymru gan Wasg Gomer,
Llandysul, Ceredigion SA44 4JL

I Hedd Efan a Tirion Mwyn - NP xx

**Gyda diolch i Nia Parry, Sam Brown, Gary Evans a
Louise Jones am hwyluso'r gwaith drwy'r wasg a'r we,
ac i Sioned Lleinau am ei chefnogaeth
ar ddechrau'r daith.**

Rhagair

◆◆◆◆◆◆◆◆◆◆◆◆◆◆◆◆◆◆◆◆◆◆◆◆◆◆◆◆◆◆◆◆◆◆◆

Cyn i ti ddarllen y stori hon am ddosbarth Miss Prydderch yn mynd i'r Eisteddfod Genedlaethol, mae ambell beth sydd angen i ti ei wybod.

Mae Miss Prydderch yn athrawes ar griw o blant Blwyddyn 6 yn Ysgol y Garn.

Yn y lle cyntaf: pwy yw disgyblion dosbarth Miss Prydderch?

Dyma nhw:

Ben Andrews	Rhian Beynon
Siôn Bevan	Siân Caruthers

Alfred Eurig Davies	Elen Dafydd
Dewi Griffiths	Anwen Evans
Gwyn Jones	Cadi Thomas
Lewis Vaughan	Sara-Gwen Williams
Molly Wyndham	Max Wyndham

Prif gymeriadau'r stori yw Alfred Eurig Davies ac Elen Dafydd, ond fel rheol, ry'n ni'n eu hadnabod nhw fel Alfred (heb yr Eurig Davies) ac Elen Benfelen (mae gan Elen wallt melyn).

Bu farw tad Alfred (dyw Alfred ddim wedi dweud wrth neb sut na phryd), ac mae Alfred yn byw gyda'i fam. Mae hi'n gweithio mewn siop o'r enw *Gorgeous Girls* ac mae'n dal bws i fynd i'r dref i weithio yno. Rhoddodd mam Alfred ddau beth

'Diogel' yw'r gair iawn am 'saff', siŵr o fod.

pwysig i Alfred ar ôl ei dad. Un ohonyn nhw oedd gwregys gyda waled fach gudd ynddo. Mae Alfred yn meddwl y byd o'r gwregys hwn ac yn ei wisgo bob dydd. Yr ail beth oedd offeryn cerdd arbennig iawn o'r enw'r chwistl-drwmp. Efallai mai chwistl-drwmp Alfred yw'r unig chwistl-drwmp yn y byd. Mae Alfred yn cadw'r chwistl-drwmp yn ofalus yn waled gudd ei wregys. Gwnaeth mam-gu Lewis Vaughan orchudd bach gwlân i'r chwistl-drwmp i'w chadw'n HOLLOL saff.

Mae gan Elen gath fach ac mae ei mam hi'n gyrru Mini. Mae Alfred yn hoff iawn o Elen, ond dyw e ddim wedi dweud hyn wrth neb chwaith.

Ffrind gorau Elen yw Sara-Gwen, a

ffrindiau gorau Alfred yw Lewis Vaughan, Dewi Griffiths a Gwyn.

Mae Lewis Vaughan yn byw gyda'i fam-gu, ac mae e, a phawb arall, yn ei galw hi'n 'Myng'. Saer coed yw tad Dewi Griffiths, ac mae Gwyn yn byw ar fferm ac mae ganddo LAWER IAWN, IAWN o ddefaid.

Does dim llawer o amser ers i Molly a Max ddod i fyw i bentref Gwaelod y Garn. Maen nhw'n efeilliaid.

Mae llawer o bethau difyr iawn y gellid eu dweud am griw Blwyddyn 6 Ysgol y Garn, ond efallai un peth ddylet ti wybod yw eu bod nhw'n gallu siarad iaith gyfrinachol! Enw'r iaith yw'r GARNEG. Nhw sydd wedi dyfeisio'r iaith hon. Maen nhw wedi cyffroi'n lân gyda'r GARNEG, ac maen coed - 1 sillaf, coedwig - 2 sillaf, coedwigoedd - 3 sillaf, bendigedig - 4 sillaf . . .

nhw'n hapus i ddarllenwyr y llyfrau hyn i gael dysgu'r gyfrinach hefyd. OND NEB ARALL. Felly, sshhhhhh. Dim gair.

Er mwyn siarad yr iaith hon mae'n rhaid i ti rannu'r geiriau yn sillafau a rhoi 'f' a 'g' rhwng y llafariaid i gyd. E.e. 'cig' yw 'cifigig' a 'cwpan' yw 'cwfwgwpafagan' … WWWWW, mae hyn yn swnio'n gymhleth. Y peth gorau i ti wneud yw mynd draw i wefan Miss Prydderch i ti gael clywed y GARNEG a dysgu mwy amdani.

Yn ail: pwy yw Miss Prydderch?

Pan gyrhaeddodd Miss Prydderch yr ysgol roedd HOLL ddisgyblion Blwyddyn 6 yn drist. Roedden nhw wedi gobeithio cael gwersi gyda Miss Arianwen Hughes.

Roedd pawb yn caru Miss Hughes. Ond yn anffodus iawn, iawn, roedd Miss Hughes wedi priodi a mynd i Lundain i fyw ac felly roedd Miss Prydderch wedi dod yn ei lle.

Roedd golwg gas iawn ar Miss Prydderch; wel, golwg fwy diflas na chas. Roedd popeth amdani yn llwyd. Ei hwyneb, ei gwallt, ei chroen, ei chardigan, ei sgert, ei bag … POPETH. Ond yn ystod yr wythnos gyntaf yn Ysgol y Garn, sylwodd Anwen Evans ei bod hi, o dan ei sgert hir, lwyd, ddiflas, yn gwisgo sanau pinc a melyn.

Ond yn llawer mwy rhyfedd na hynny, ar ddiwrnod olaf ei hwythnos gyntaf yn yr ysgol, galwodd hi bawb at y darn carped yng nghornel y dosbarth i gael stori. Nid dyna oedd y peth rhyfedd. Y peth rhyfedd oedd bod y carped hud, yn ystod y stori, wedi CODI a HEDFAN, a bod y plant i gyd wedi mynd allan drwy'r ffenest a lan at y cymylau a draw i Goedwig y Tylluanod lle cawson nhw anturiaethau anhygoel.

Does dim amser fan hyn i ddweud y straeon hynny i gyd. Os wyt ti eisiau gwybod beth ddigwyddodd yno, byddai'n well i ti geisio darllen Llyfrau 1, 2 a 3. Digon yw dweud fod Miss Prydderch, ar ôl cyrraedd Coedwig y Tylluanod, wedi troi yn DDWY Miss Prydderch. Un binc a melyn ac un felen a phinc. ANHYGOEL!

Y peth pwysig i ti wybod nawr yw bod y plant i gyd yn hoffi Miss Prydderch yn fawr iawn, ac mae pawb wrth eu bodd ei bod hi wedi dod i'r ysgol. Mae hi'n athrawes wahanol i bob athrawes arall … ond mae pawb yn cytuno ei bod hi'n athrawes ardderchog ac arbennig iawn. Yn enwedig pan mae hi'n dweud stori.

Yn drydydd:
ychydig o ffeithiau am Ysgol y Garn a phentref Gwaelod y Garn

Lle bach yw Gwaelod y Garn ac ysgol fach yw Ysgol y Garn. Enw'r prifathro yw Mr Elias ac mae e'n dweud 'da iawn, da iawn, da iawn' drwy'r amser, hyd yn oed pan dyw pethau ddim yn dda iawn o gwbl.

Yn ddiweddar, mae'r **AWDURDODAU** wedi bod yn dweud bod rhaid cau'r ysgol am nad oes digon o blant ynddi.

Does dim digon o blant yn yr ysgol am nad oes digon o rieni yn y pentref. A does dim digon o rieni yn y pentref am nad oes digon o waith yno.

Ond diolch i Miss Prydderch, mae'r pentref i gyd wedi ymgyrchu'n galed i geisio creu gwaith. Ar ôl meddwl yn hir iawn, sylweddolodd pawb fod digon o ddefaid yn y pentref, ac felly digon o wlân. Yn ffodus iawn, roedd teulu Molly a Max wedi dod i fyw i'r Hen Felin Wlân, ac felly aeth pawb ati i feddwl am bob math o bethau gallai pobl ei wneud o wlân.

Enw'r ymgyrch oedd 'Ymgyrch y 7G', achos enw llawn yr ymgyrch oedd:

'Ymgyrchu' yw gweithio'n galed i geisio gwneud rhywbeth, fel arfer gyda phobl eraill.

Gwaelod y Garn: Gyda'n Gilydd Gallwn Greu Gwaith, ac mae 7 'G' yn y frawddeg honno.

Erbyn hyn, mae pethau'n edrych yn llawer gwell, ac mae sawl busnes bach wedi agor yn y pentref. Er enghraifft:

Mae mam Elen Benfelen a Sara-Gwen yn gwerthu clustogau o bob math.

Mae tad Dewi Griffiths yn gwneud gwelyau.

Mae Myng Lewis Vaughan yn gwau siwmperi.

Ac yn well na dim, mae Mrs Elias, gwraig Mr Elias y prifathro, yn disgwyl babi.

Mae'r pentref wedi dod yn enwog iawn drwy Gymru gyfan.

A chan dy fod yn gwybod yr holl bethau

hyn am Alfred, Elen, Miss Prydderch a Gwaelod y Garn, rwyt ti'n gwybod digon i allu darllen y llyfr newydd hwn a hanes y criw yn mynd i'r Eisteddfod Genedlaethol.

Wyt ti'n barod?

Mae'n mynd i fod yn Eisteddfod a hanner ...

Rhyw fath o babell sy'n sownd yn ochr camper-fan neu garafán.

1

Mewn adlen

Deffrodd Alfred Eurig. Doedd ganddo ddim syniad ble roedd e. Roedd hi'n dywyll. Roedd ei ben e'n oer ond roedd ei draed e'n gynnes. Caeodd ei lygaid a'u hagor eto. Syllodd ar y sêr uwchben.

Ar nenfwd ei stafell wely adre roedd sticeri sêr yn disgleirio bob nos ar ôl iddo ddiffodd y golau. Ond nid nenfwd

Darn top ystafell yw'r 'nenfwd'. Roedd mam Alfred wedi rhoi sticeri sêr yno fel bod Alfred yn gallu eu gweld cyn mynd i gysgu.

ei stafell wely oedd hwn. Ac roedd Alfred yn gwybod nad oedd e adre. Roedd y sêr hyn yn sêr gwahanol. Yna, yn sydyn, cofiodd y cyfan.

Roedd Alfred yng Nghaerdydd. Roedd e mewn adlen yn sownd wrth gamper-fan mam a thad Molly a Max ar faes carafannau Eisteddfod Genedlaethol Caerdydd. Rhaid bod ei ben wedi llithro allan o dan y cynfas yng nghanol y nos, a nawr, a'i lygaid led y pen ar agor, gallai Alfred weld holl sêr yr haf yn wincio i lawr arno o'r awyr las-ddu uwch ei ben.

Er gwaethaf y golau melyn ac oren a ddôi o lampau'r stryd, roedd y sêr yn rhyfeddol o glir. Roedden nhw allan yn eu miloedd. Dyna'r Ddraig a'r Arth Fach, Hercules y dyn cryf, Lupus y Blaidd a Pavo y Paun, ac roedd un rhes hir o blanedau i'w gweld yn gwenu ar y carafannau cwsg: Gwener, Iau, Sadwrn a Mawrth.

Ac wrth i Alfred symud ei ben yn ôl i mewn at gynhesrwydd yr adlen, gwyddai rywsut yng ngwaelod ei fola fod hon yn mynd i fod yn wythnos a hanner.

Pennod 2

Tua'r Eisteddfod Genedlaethol

◆◆◆◆◆◆◆◆◆◆◆◆◆◆◆◆◆◆◆◆◆◆◆◆◆◆◆◆◆◆◆◆◆◆◆◆◆◆

Bu'r daith i'r Eisteddfod yn daith i'w hanghofio. Am 5 o'r gloch y bore cododd Alfred. Roedd e wedi gwneud y tric 'gwisgo-pyjamas-dros-ben-ei-ddillad-heb-fod-mam-yn-gwybod', fel ei fod e'n gallu neidio allan yn y bore, tynnu'r pyjamas a 'HWRÊ!' – roedd e'n barod!

Roedd Alfred wastad yn meddwl bod 'anghofio' yn edrych yn od gyda 'h' o'i flaen 'hang-hofio'!

Ydych ch'in cofio bod Alfred yn caru dweud y gair gwreg-ys? Roedd e'n meddwl ei fod e'n air 'crynshi'.

Offeryn cerdd arbennig iawn oedd yn arfer perthyn i dad Alfred. Tad Alfred oedd piau'r gwregys hefyd. Roedd tad Alfred wedi marw.

Am bum munud wedi pump, wrth iddo redeg i lawr y grisiau lle roedd ei fam yn gwasgu bocs brecwast a chinio yn ei fag, gwelodd fan Mr Griffiths, saer pentref Gwaelod y Garn (a thad Dewi Griffiths), yn parcio tu allan i'r tŷ. Rhoddodd gusan fach a chwtsh mawr i Mam ac allan â fe, gan wneud yn HOLLOL siŵr fod ei wregys amdano a bod y chwistl-drwmp yn y waled fach.

Roedd gan Alfred feddwl y byd o'i wregys ac o'r chwistl-drwmp.

Erbyn saith munud wedi pump, roedd fan las Mr Griffiths yn cychwyn tua'r Eisteddfod. Yn y fan roedd Alfred Eurig, Dewi Griffiths a Mr Griffiths. Ond

Gair arall am 'ddechrau'.

er gadael mor gynnar, yn lle cyrraedd yr Eisteddfod am 8 y bore, doedden nhw ddim wedi cyrraedd tan 2 o'r gloch y prynhawn – 6 awr yn hwyr! CHWE AWR YN HWYR!! CHWE AWR!!!!

Bu'n rhaid troi 'nôl yn Llandeilo ar ôl i Mr Griffiths gofio ei fod wedi anghofio'r sachau cysgu. Colli awr.

Wedyn, dechreuodd mwg mawr godi o dan fonet y fan ar gyffordd 46. Roedd yn edrych mwy fel draig na fan, a bu'n rhaid galw'r garej i ddod i drwsio'r injan. Colli dwy awr a hanner. Wedyn, roedd y draffordd wedi'i chau yn dilyn damwain ym Mhort Talbot. Colli awr a hanner arall.

Ac oherwydd yr holl golli amser, roedd y tri theithiwr wedi hen fwyta eu brechdanau ymhell cyn cyrraedd yr

Eisteddfod, a bu'n rhaid aros ger Pen-y-bont ar Ogwr i gael rhywbeth i'w fwyta a mynd i'r tŷ bach. Colli awr arall achos bod y ciws mor hiiiiiiiiiiiiiiiir.

Caerdydd. Caerdydd. Caerdydd ... roedd y lle'n dechrau teimlo fel gwlad ym mhen draw'r byd!

Pennod 3

Stryd y Stondinau

◆◆

Pan welon nhw siâp Stadiwm y Principality yn codi fel chwilen wen enfawr o ganol y tai a'r swyddfeydd, doedd dim syndod bod Dewi Griffiths ac Alfred wedi gweiddi nerth esgyrn eu pen: 'CAERDYDD!!!!!'

Roedd Mr Griffiths hefyd yn hapus; mor hapus nes iddo ganu corn y fan ac atseiniodd hwnnw TWWWT -

TWWWWT! TWWWT – TWWWWT! dros y ddinas gyfan.

Ar eiliad honno, trodd cwyno Dewi Griffiths, oedd wedi bod yn gofyn 'ydyn-ni-bron-â-bod yna?' ers oriau ac oriau, i fod yn 'Hwrê! Hwrê! Hwrê!' a dechreuodd y ddau ffrind siantio:

'Mynd i'r steddfod, bant â ni, mynd i joio un-dau-tri!'

'Mynd i'r steddfod, bant â ni, mynd i joio un-dau-tri!'

'Mynd i'r steddfod, bant â ni, mynd i joio un-dau-tri!'

Ar ôl siantio tua deg gwaith, daeth llais Mr Griffiths, 'Reit, bois! Tawelwch os gwelwch yn dda! Pawb i edrych am yr arwyddion i'r maes carafannau.'

A bu tawelwch.

Doedd Alfred ddim yn gwybod y gair Cymraeg am 'stress'. Falle mai gair Cymraeg yw 'stress' ond heb yr 's' olaf?

Oherwydd, er bod Mr Griffiths yn gwybod popeth am ffyrdd Gwaelod y Garn, doedd ganddo ddim syniad o gwbl am sut i yrru o gwmpas y brifddinas. Ac roedd y ddau ffrind yn ddigon call i synhwyro bod Mr Griffiths yn dechrau teimlo bach o 'stress'.

Wedi mynd rownd a rownd a rownd sawl rowndabowt, o'r diwedd, dyna weld arwydd mawr melyn a llun carafán arno a'r gair **EISTEDDFOD** o'u blaenau. Ffiw.

Dilynon nhw'r arwyddion hyn fesul un, a chyn pen dim, dyma gyrraedd y Maes Carafannau a rhoi'r tocyn i'r stiward

Roedd Alfred yn gwybod mai 'cylchfan' yw'r gair Cymraeg am 'rowndabowt', ond roedd well ganddo fe 'rowndabowt'. Am ryw reswm, roedd e'n fwy crwn.

Mae'r gair 'gwgu' yn glyfar iawn. Mae'n amhosib dweud y gair 'gwgu' a gwenu run pryd. Dim ond wyneb diflas all ddweud 'gwgu'. Gwgu. Gwgu. Gwgu.

wrth y fynedfa. Gyrrodd Mr Griffiths y fan yn ofalus dros y ffordd bwmp-y-di-bwmp ac o'r diwedd roedden nhw wedi parcio yn safle 472. Yno roedd hen, hen gamper-fan Molly a Max yn sefyll braidd yn igam-ogam yn disgwyl amdanyn nhw.

Doedd gosod yr adlen ddim yn dasg hawdd, ond gyda help tad a mam Molly a Max, ac ar ôl llawer o chwerthin a thipyn o wgu a chrafu pen, roedd popeth yn barod cyn amser te.

'Ok,' meddai mam Max a Molly *'We better be* bant â ni, *or Miss Prydderch will be hopping mad.* Cacwn *mad, if you ask me.'*

(Roedd Mrs Wyndham mam Max a Molly, yn dysgu Cymraeg).

Roedd hi'n llygad ei lle, a heb oedi mwy, dechreuodd y criw ei throi hi at Stryd y Stondinau ar Faes yr Eisteddfod gan fachu afal yr un a bag o falws melys.

Sef ffordd dwt o ddweud 'roedd hi'n hollol iawn'.

Hoff fwyd Alfred yn y byd yw malws melys. Mae'n caru'r bwyd a caru'r geiriau. Mmmm.

Pennod 4

Yr Eisteddfod

♦♦♦♦♦♦♦♦♦♦♦♦♦♦♦♦♦♦♦♦♦♦♦♦♦♦♦♦♦♦♦♦♦♦♦♦♦

Doedd Alfred erioed wedi bod yn yr Eisteddfod Genedlaethol o'r blaen. Roedd e wedi gweld lluniau ohoni ar y teledu, wrth gwrs, ac roedd Miss Prydderch wedi rhoi gwers iddyn nhw am yr holl beth a dangos ffilm iddyn nhw. Dyma beth oedd e'n gwybod am yr Eisteddfod Genedlaethol:

- Mewn Eisteddfod Genedlaethol, mae llawer o bobl yn cerdded o gwmpas cae.

Bizarre! Waw! Gair Ffrangeg yw 'bizarre' – sy'n golygu 'od iawn, iawn' . . .

Sef pobl sydd ddim yn blant.

- Enw'r cae yw 'Y Maes'.
- Mae'r Maes yn llawn baneri a stondinau.
- Mae pabell enfawr yng nghanol y maes lle mae pobl yn mynd i ganu a dawnsio a dweud darnau o farddoniaeth ar eu cof.
- Enw'r babell enfawr yw 'Y Pafiliwn'.
- Yn y Maes hefyd mae cylch mawr *bizarre* o gerrig tal, llwyd yr un maint â phobl. Enw'r cylch yw Cerrig yr Orsedd. (Roedden nhw wedi cael gwaith cartref: 'Tynnwch lun Cerrig yr Orsedd'.)

- Bob bore dydd Llun a dydd Gwener yn ystod yr Eisteddfod, yn ôl Miss Prydderch, mae oedolion yn gwisgo lan mewn ffrogiau hir gwyn neu wyrdd neu las ac yn cerdded yn araf yn un rhes tuag at y cerrig i gynnal seremoni.

- Yn y seremoni mae plant bach tua'r un oed ag Alfred yn dawnsio tra bod yr oedolion yn eistedd ac yn codi ac yn eistedd ac yn codi.
- Ar flaen y rhes, bob blwyddyn, mae rhai o'r bobl hŷn yn gwisgo dillad aur, ac maen nhw'n gwasgu gyda'i gilydd ar garreg wastad enfawr o'r enw'r Maen Llog ac mae un ohonyn nhw'n gwisgo coron.

- Yn llaw un arall ohonyn nhw mae **CLEDDYF ANFERTH**.

Doedd Alfred ddim yn siŵr a oedd yr holl beth yn swnio'n od neu'n cŵl. Falle dyna pam roedd yr enw **EISTEDDFOD** yn gorffen gydag OD - **EISTEDDF-OD?** Pwy a ŵyr?

Ac i wneud pethau hyd yn oed yn fwy od, roedd Miss Prydderch wedi esbonio bod Eisteddfod Caerdydd yn mynd i fod yn wahanol i bob Eisteddfod arall, a'i bod hi'n mynd i ddigwydd mewn maes-sydd-ddim-yn-faes. Doedd Alfred ddim yn hollol siŵr beth oedd 'maes', ac felly doedd ganddo ddim syniad o gwbl beth yw 'maes-sydd-ddim-yn-faes'?

Od. Od. Od.

Ond od neu beidio, roedd un peth yn sicr – edrychai Alfred ymlaen yn ofnadwy at gael gweld y cwbl â'i lygaid ei hun.

Pennod 5

Stondin 7G

◆◆◆◆◆◆◆◆◆◆◆◆◆◆◆◆◆◆◆◆◆◆◆◆◆◆◆◆◆◆◆◆◆◆◆◆◆

Roedd holl ddisgyblion Blwyddyn 6 Ysgol y Garn wedi dod i'r Eisteddfod Genedlaethol, a hynny am ddau reswm.

Rheswm 1: Canu.

Oherwydd yr Ymgyrch 7G a'r holl bethau roedd pobl pentref Gwaelod y Garn yn gallu gwneud o wlân, roedd Cymdeithas Gwlân Cymru wedi gofyn i'r disgyblion ddod i ganu mewn seremoni arbennig i ddathlu Gwlân Cymru ar lwyfan yr

7G: Gwaelod y Garn, Gyda'n Gilydd Gallwn Greu Gwaith (mae 7 gair yn dechrau gyda G yn y frawddeg = 7G)

Eisteddfod Genedlaethol brynhawn dydd Mawrth.

Rheswm 2: Gwerthu.

Dyma oedd y prif reswm: gwerthu eu stwff ar stondin y pentref, sef stondin y 7G.

Syniad Miss Prydderch oedd dod, wrth gwrs. Miss Prydderch, yr athrawes ryfeddol, anhygoel, lwyd, oedd yn gallu troi yn ddwy Miss Prydderch pan oedd hi'n dweud stori ar y carped hud.

Ac roedd Miss Prydderch wedi dweud bod rhaid i bawb gyrraedd bnawn Gwener er mwyn gosod stondin y pentref, stondin y 7G, yn Stryd y Stondinau. (Dyma beth oedd Miss Prydderch yn galw'r rhes o stondinau ar faes yr Eisteddfod).

Ond pan gyrhaeddodd y criw Stryd

Dim syniad o gwbl.

y Stondinau … mmmm, roedd tipyn o broblem o'u blaenau. Roedd llwyth o stondinau yn y stryd a neb yn gwybod yn union ble roedd stondin Gwaelod y Garn. Dim clem! Roedd POB MATH o stondinau ar y dde ac ar y chwith yn gwerthu POB

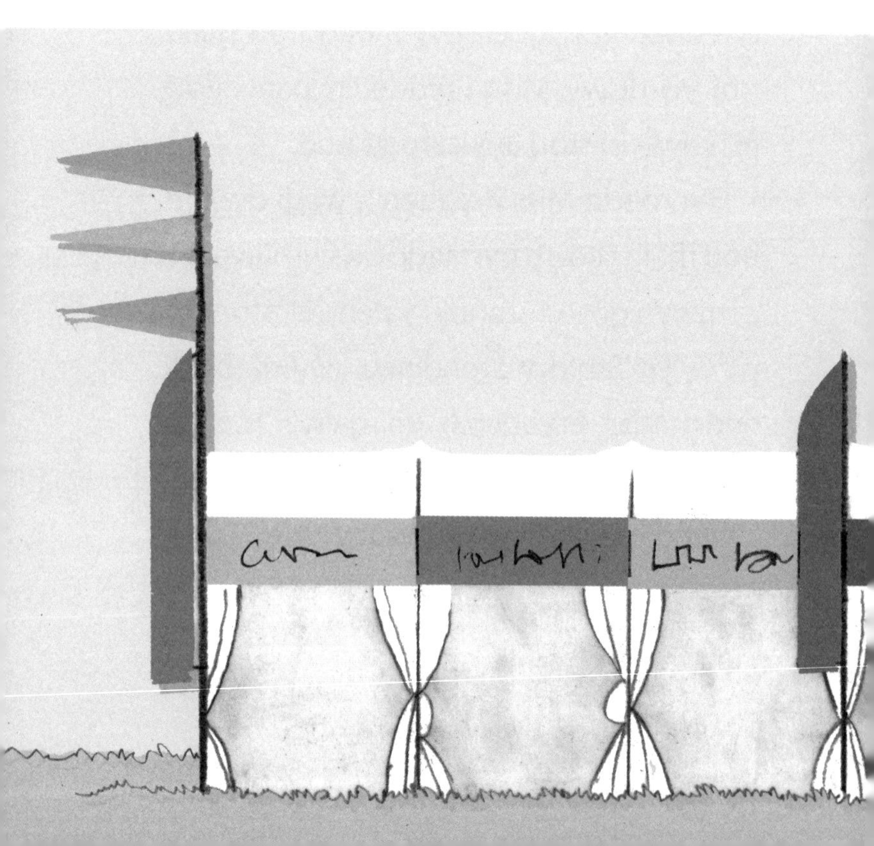

MATH o bethau. Roedd stondinau'n gwerthu llyfrau, llestri, recordiau, crysau-T. Ar ben y stondinau gwerthu pethau, roedd stondinau gwybodaeth o bob lliw a llun; stondinau colegau, stondinau capeli, stondin Cymdeithas yr

Wow! Roedd rheiny'n swnio'n debyg iawn i'w gilydd. Dim ond un 'i' ac un 'r' o wahaniaeth.

Sef 'mam-gu' Lewis Vaughan'

Iaith, Cymdeithas Athrawon, Cymdeithas Heddwch, Cymdeithas yr Adar, Cymdeithas Cerdd Dant, Cymdeithas Cyfreithwyr a Chymdeithas Cyfieithwyr.

O'r diwedd, gwelodd Alfred arwydd mawr ar flaen stondin ar ben y rhes: Stondin 7G. 'Dyna'n stondin ni!' gwaeddodd gan ddechrau rhedeg. A gyda hynny, dechreuodd pawb arall redeg … gan gynnwys Myng Lewis Vaughan, oedd braidd yn rhy hen i redeg yn gyflym, a Mrs Elias (gwraig Mr Elias y prifathro) oedd yn disgwyl babi a braidd yn rhy fawr i redeg o gwbl.

Roedd Miss Prydderch, gyda help Elen Benfelen, Sara-Gwen a mam Elen Benfelen a mam Sara-Gwen, eisoes wedi

Sef 'yn barod'.

Nid gwregysau'n unig, ond pethau fel bagiau a hetiau . . . unrhyw beth o ledr.

cael trefn ar bethau, ac o dan yr arwydd mawr 7G, roedd arwydd llai yn dweud: 'Gwaelod y Garn: Gyda'n Gilydd Gallwn Greu Gwaith!'

Tu mewn, roedd byrddau bach ac arwyddion i ddangos pwy oedd fod ble.

Siwmperi Swanc:	yn gwerthu pethau gwlân	Myng Lewis Vaughan
Y Saer Cwsg:	yn gwerthu gwelyau	Tad Dewi Griffiths
Palas Plu:	yn gwerthu clustogau ayb	Mam Elen Benfelen a Mam Sara-Gwen
Yr Hen Siop Fara:	yn gwerthu offerynnau cerdd	Pud Pickles
Gwin a Gwledda:	yn gwerthu gwin a bwyd	Mr a Mrs Spottisking
Bobls i Bawb:	yn gwerthu gemau a phethau gwallt	Mam Alfred
Gwregysau'r Garn:	yn gwerthu lledr	Mr a Mrs Forster

(Falle dy fod ti'n meddwl bod enw siop Mr Pickles ychydig bach yn rhyfedd. Roedd Alfred yn bendant yn meddwl hynny. Y pwynt yw mai cerddor oedd Pud Pickles. Un cŵl iawn. Roedd e'n arfer canu gitâr mewn band enwog-ish yn Lloegr. Roedd Mr Pickles newydd symud i'r ardal ac wedi prynu'r hen siop fara ym mhentref Gwaelod y Garn, ond doedd e ddim eto wedi dysgu llawer o Gymraeg, ac erbyn iddo fe agor ei siop a gwneud posteri 'Yr Hen Siop Fara – Miwsig i Bawb' roedd hi'n rhy hwyr i esbonio wrtho fod yr holl beth yn swnio braidd yn od. Felly dyna pam fod y Siop Fara yn gwerthu Miwsig.)

Ond nid Pud Pickles oedd y cyntaf i weld y criw'n cyrraedd y stondin. Na. Miss Prydderch. Pan welodd hi'r criw'n carlamu'n nes, neidiodd allan o'r stondin

Enwog-ISH. Doedd Alfred, na neb arall wedi clywed am y band o'r blaen – The Dark Dolphins – neu rywbeth tebyg.

a thaflu ei breichiau yn yr awyr a dweud, 'Croeso i Eisteddfod Genedlaethol Cymru!' a heb oedi mwy, dechreuodd roi cyfarwyddiadau i bawb.

'Mae lorri fach wedi cyrraedd gyda'n holl focsys ni arni, ac mae wedi parcio tu ôl i'r stondin. Nawr, gwrandewch yn ofalus: mae gyda ni ddwy awr i wagio'r lorri. Dwy awr yn unig. Ar ôl hynny, bydd rhaid i'r lorri adael ardal yr Eisteddfod, neu bydd swyddogion yr Eisteddfod yn dod ac yn mynd yn grac ac yn flin iawn ac yn rhoi tsiaen ar olwynion y lorri a bydd rhaid talu lot o arian i gael y tsiaen yn rhydd ... Felly, mewn gair, does dim amser i'w wastraffu. Ydy pawb yn deall?' meddai.

"Deall!' meddai pawb, ar wahân i fam a thad Molly a Max. Dwedon nhw 'Got it!' gyda'i gilydd yn union fel deuawd, ac ychwanegodd mam Molly, 'We understand a bit of Welsh, but we don't speak it'. (Roedd hi'n dweud hyn yn aml.)

'Not yet!' atebodd Miss Prydderch. 'But you will. We'll help you!' (Roedd Miss Prydderch yn dweud hyn yn aml hefyd.)

Yna, gan droi at bawb, dwedodd yn ei llais athrawes gorau: 'Torchi llewys amdani!'

'What did she say?' sibrydodd mam Molly wrth Alfred. Mmm. Doedd Alfred ddim yn siŵr iawn sut i ddweud hynny'n Saesneg, a dwedodd ar ôl meddwl: 'She said "torch your sleeves".'

Edrychodd mam Molly wedi drysu'n llwyr, ac meddai, 'But I'm wearing a

T-shirt. It doesn't really have sleeves. And anyway, how do you "torch" sleeves?'

Tro Alfred oedd hi nawr i edrych wedi drysu, ond diolch byth, daeth mam Elen Benfelen i helpu a dwedodd hi: 'She means we must all get started.'

Roedd mam Molly'n hapus. 'Ok then. Bant â ni! That's what I say. Bant â ni!'

A bant â nhw. Pawb am y gorau yn cario bocsys yn ôl ac ymlaen o'r lorri am ddwy awr heb stop.

Pennod 6

Pwy a ble?

◆◆◆◆◆◆◆◆◆◆◆◆◆◆◆◆◆◆◆◆◆◆◆◆◆◆◆◆◆◆◆◆◆◆◆◆

Felly pwy oedd yno? A ble roedd pawb yn aros?

Pwy?

<u>Disgyblion</u>

Ben Andrews	Rhian Beynon
Siôn Bevan	Siân Caruthers
Alfred Davies	Elen Dafydd (sef Elen Benfelen)
Dewi Griffiths	Anwen Evans
Gwyn Jones	Cadi Thomas

Lewis Vaughan	Sara-Gwen Williams
Max Wyndham	Molly Wyndham

Oedolion

Mr a Mrs Elias

Miss Prydderch

Mr a Mrs Wyndham

Myng Lewis Vaughan

Anti Emma

Mr a Mrs Andrews

Mr a Mrs Beynon

Mr Griffiths

Ble?

Yn aros yn y Maes Carafannau:

Carafán 472: Max a Molly (a mam a thad Max a Molly) yn y camper-fan.

Dewi Griffiths, tad Dewi Griffiths ac Alfred Eurig yn yr adlen.

Carafán 473: Anwen Evans a Cadi Thomas gydag anti Cadi sef Anti Emma (roedd Anti Emma'n ddoctor).

Carafán 474: Miss Prydderch.

Carafán 475: Rhyw deulu o Gaerdydd doedd neb yn adnabod, gyda dwy ferch tua'r un oedran ag Alfred, a dau gi gyda blew aur.

Carafán 476: Lewis Vaughan a Myng Lewis Vaughan a Gwyn**.

Carafán 477: Mr a Mrs Elias (y prifathro a'i wraig).

Carafán 478: Ben Andrews a Siôn Bevan a theulu Ben.

Carafán 479: Rhian Beynon a Siân
Caruthers a theulu Rhian.

Yn aros mewn gwesty:

Elen Benfelen (a mam a thad Elen), Sara-Gwen a mam Sara-Gwen.

**(Roedd Gwyn yn dod gyda'i fam a'i dad a Deleila ddydd Sadwrn am fod mam a thad Gwyn yn methu gadael y fferm am wythnos gyfan. Deleila oedd dafad anwes Gwyn. Doedd mam Alfred ddim yn gallu dod o gwbl am fod rhaid iddi hi weithio yn siop *Gorgeous Girls*.)

Ymhen dwy awr roedd y stondin yn llawn a'r lorri'n wag. Ond nid dim ond

Roedd Deleila fel ci bach i Gwyn ac yn mynd gyda fe i bobman.

Sef yn hapus iawn, iawn.

y lorri oedd yn wag. Roedd stumogau pawb yn wag hefyd a chynigodd Myng Lewis Vaughan y dylai pawb ddod 'nôl i'r Maes Carafannau i gael BBQ.

WEHEI! Beth allai fod yn well? Roedd Alfred ar ben ei ddigon. Roedd hi'n noson braf o haf. Roedd e'n cael aros am y tro cyntaf yn ei fywyd yng Nghaerdydd. A nawr roedd e'n mynd i gael BBQ. Ac yn well fyth, roedd PAWB wedi cael gwahoddiad i'r BBQ, hyd yn oed Elen Benfelen a Sara-Gwen, er nad oedden nhw'n aros ar y maes carafannau. Byddai'r criw i gyd gyda'i gilydd, felly.

Wrth gerdded yn ôl o Stryd y Stondinau roedd Miss Prydderch yn stopio bob hyn a hyn i dynnu sylw at bob math o bethau. 'Dyna adeilad y Senedd,' meddai wrth bwyntio at adeilad llawn gwydr a darn mawr o do fel tafod hir yn gwthio allan tua'r môr. 'Yn fan'na mae'r Prif Weinidog ac Aelodau'r Cynulliad yn penderfynu beth sy'n mynd i ddigwydd i Gymru.'

'Cŵl!' meddai Siân Caruthers, 'Fan'na bydda i'n gweithio achos dwi eisiau bod yn Brif Weinidog Cymru pan fydda i'n fawr.'

'A dyma adeilad y Pierhead,' meddai Miss Prydderch wedyn, gan bwyntio at adeilad brics coch oedd â baner fawr yn dweud 'Shw'mae Caerdydd' arno. 'Mae hwn wedi bod yma ers dros gant o flynyddoedd. Roedd hwn yn adeilad pwysig iawn pan oedd yr ardal hon i gyd

yn llawn o longau mawr yn cario glo o Gymru i bob cwr o'r byd.'

Safodd pawb wedyn ger pont fach oedd yn arwain at stryd yn llawn bwytai ar lan y môr. Roedd un bwyty hyd yn oed YN y môr … ac ar bwys hwnnw, gallai Alfred weld siop hufen iâ o'r enw rhywbeth fel *Tegwareds*. Daeth dŵr i'w ddannedd. Roedd ar ganol dychmygu llyfu hufen iâ blas malws melys, pan glywodd lais Miss Prydderch yn dweud 'STOP! Pawb i droi ac edrych ar yr adeilad draw ar y chwith.'

Trodd Alfred i edrych. Rhewodd. Yno'n pwyso o'r awyr roedd talcen yr adeilad rhyfeddaf iddo'i weld yn ei fywyd.

Pennod 7

Hanner cysgod

◆◆◆

'Beth yn y byd mawr yw hwnna?' gofynnodd dan ei anadl i Dewi Griffiths.

'Dim clem!' atebodd ei ffrind. Edrychodd y ddau i fyny. Ar hyd y talcen roedd ffenestri siâp llythrennau enfawr a golau coch a gwyn a gwyrdd yn llifo drwyddyn nhw.

Cliriodd Miss Prydderch ei llwnc; roedd hi'n amlwg ar fin dweud rhywbeth pwysig iawn, 'Hwnna,' meddai, 'yw cartref yr Eisteddfod Genedlaethol am yr wythnos'.

'So is that the Pafiliwn yr Eisteddfod?' gofynnodd Mrs Wyndham.

'Chi'n iawn,' oedd ateb Miss Prydderch. 'Fel yr esboniais i 'nôl yn yr ysgol wrth y plant, dyw'r Eisteddfod eleni ddim mewn cae, ac felly does dim 'maes' fel y maes arferol na phabell fawr yn bafiliwn. Mae'r

Os wyt ti'n 'betrusgar' dwyt ti ddim yn 100% yn sicr.

cystadlu i gyd yn digwydd yn yr adeilad hwnnw: Canolfan Mileniwm Cymru.'

'Ydy e'n saff?' gofynnodd Dewi Griffiths.

'Yn saff?' holodd Miss Prydderch.

'Dyw e ddim yn mynd i gwympo, ydy e? Mae'n pwyso braidd am ymlaen,' meddai Dewi'n betrusgar.

'Paid â bod yn ddwl!' chwarddodd Mr Griffiths, tad Dewi. 'Dyma un o adeiladau gorau Cymru gyfan!'

'Mae Mr Griffiths yn dweud y gwir. Dyma un o adeiladau gorau Cymru gyfan,' ailadroddodd Miss Prydderch, 'A nawr, edrychwch ar y ffenestri. Beth sy'n arbennig amdanyn nhw?'

'Llythrennau y'n nhw!' meddai Sara-Gwen.

Doedd Miss Prydderch ddim yn hoffi'r gair 'waw', byddai'n well ganddi hi air fel 'anhygoel'.

'Maen nhw'n dweud rhywbeth!' meddai Siôn Bevan.

'Cywir,' meddai Miss Prydderch. 'Mae'r llythrennau yn y ffenestri'n dweud y geiriau:

CREU GWIR FEL GWYDR O FFWRNAIS AWEN. IN THESE STONES HORIZONS SING.

'WAW!' meddai Dewi.

'WAW!' meddai Alfred hefyd.

'WAW!' meddai'r criw i gyd, y disgyblion a'r rhieni hefyd.

Ond roedd Alfred yn rhyfeddu at rywbeth mwy na'r llythrennau. Gallai Alfred daeru ei fod wedi gweld cysgod creadur yn gwibio-hedfan ar hyd y gair

Roedd Alfred wedi sylwi ar hyn. Weithiau, os oedd ei fola fe'n wag roedd ei ben e'n teimlo'n od a doedd e ddim yn gallu meddwl yn glir.

FFWRNAIS. Rhyw fath o aderyn mawr arian. **ADERYN**. **ENFAWR O FAWR. ADERYN ARIAN**. Rhwbiodd ei lygaid a'u hagor eto.

Dim byd.

Efallai ei fod wedi dychmygu.

Efallai mai cwmwl oedd e.

Efallai mai eisiau bwyd oedd arno.

Byddai'n teimlo'n well ar ôl cael bwyd.

Ond pan drodd yn ôl at y criw, gwelodd Elen yn rhwbio ei llygaid hithau hefyd. Gwelodd hi'n cau ei llygaid. Ac yn agor ei llygaid. Ac roedd e bron yn siŵr ei bod hithau hefyd wedi gweld rhywbeth rhyfeddol.

'Ti'n iawn, Elen?' gofynnodd.

Doedd Elen ddim go iawn yn iawn. Ond doedd hi ddim eisiau dweud wrth neb ei bod hi'n meddwl ei bod hi wedi gweld aderyn rhyfedd, coch. Felly shhhhh – dim gair wrth neb.

Ben-i-waered yw'r ffordd iawn o'i ddweud e, ond roedd Alfred yn rhy gyffrous i feddwl.

'Iawn,' atebodd Elen yn gyflym.

A chyn i Alfred gael cyfle i holi mwy, daeth llais Miss Prydderch, 'Dewch! Awn ni mewn am bum munud i chi gael gweld y lle yn iawn.'

Cerddodd y criw tuag at yr adeilad mewn rhyfeddod. Doedd dim byd tebyg ym mhentref Gwaelod y Garn.

Ar flaen yr adeilad roedd rhes o ddrysau gwydr, ac ar y drysau roedd dolenni fel rhyw fath o drymped mawr yp-seid-down. Ar ôl mynd drwy'r drws, roedd cyntedd enfawr a llawr yn sgleinio, a llenwodd calon Alfred gyda theimlad braf iawn. Mae'n rhyfedd sut mae adeiladau'n gallu gwneud i chi deimlo'n hapus neu'n drist, yn ofnus neu'n gyffrous, meddyliodd Alfred i'w hunan. Roedd hwn yn adeilad hapus a chyffrous.

Dilynodd pawb Miss Prydderch i'r chwith i'r lle roedd allwedd mawr arian yn sownd wrth y wal a hanes agor yr adeilad. Yn rhyfedd iawn, ddwedodd Miss Prydderch ddim gair am y ddraig fawr arian oedd yn sownd wrth y wal yn ymyl, a sylwodd neb arni. Neb ond Alfred. Ac Elen. A dim ond hanner sylwi arni wnaethon nhw hefyd.

Ac erbyn iddyn nhw fod wedi hanner sylwi arni, roedd Miss Prydderch yn arwain pawb i fyny'r grisiau lle roedd pileri mawr du gyda rhyw fath o dardis Dr Who crwn ar ben pob un.

Ar ôl cyrraedd pen y grisiau aeth y criw draw wedyn i goridor braf lle roedd drysau brown golau ar y chwith, ac ar y dde roedd y 'ffenestri-llythrennau' yn sillafu'r geiriau am yn ôl ac yn pwyso allan ar y stryd islaw.

GNIS SNOZIROH SENOTS ESETH NI. NEWA SIANRWFF O RDYWG LEF RIWG UERC

Edrychodd Alfred yn ofalus ar y geiriau. Rhag ofn. Ond doedd dim sôn am unrhyw aderyn. Dim un bach nac un mawr nac un arian. Roedd Elen yn edrych yn ofalus hefyd. Am yr un rheswm ag Alfred. Ond doedd Alfred ddim yn gwybod hynny.

Roedd Alfred wedi sylwi bod cario ffeils yn ffordd dda iawn o edrych yn bwysig.

Pennod 8

Y dyn anghwrtais

♦♦♦♦♦♦♦♦♦♦♦♦♦♦♦♦♦♦♦♦♦♦♦♦♦♦♦♦♦♦♦♦♦♦♦♦♦♦

Syllodd y plant drwy'r llythrennau enfawr ar y bobl tu allan, pawb yn mynd a dod a dod a mynd. Yn eu canol roedd colofn enfawr yn tasgu dŵr. Roedd y lle'n edrych fel ffair o hardd.

Roedd tipyn o bobl tu mewn i'r adeilad hefyd – swyddogion yr Eisteddfod yn brysur yn cario ffeils ac yn trefnu, cystadleuwyr mewn corneli yn brysur yn ymarfer, beirniaid yn edrych yn brysur ac yn bwysig yn gwisgo bathodynnau mawr gyda ffrils yn dweud BEIRNIAD.

Roedd Elen wedi troi o'r ffenest a sylwi ar un dyn tal gyda phen moel mewn ffrog hir wen yn cario bocs mawr ac yn gwisgo sbectol haul, a hynny mewn tu fewn! Gofynnodd i Miss Prydderch mewn hanner sibrydiad:

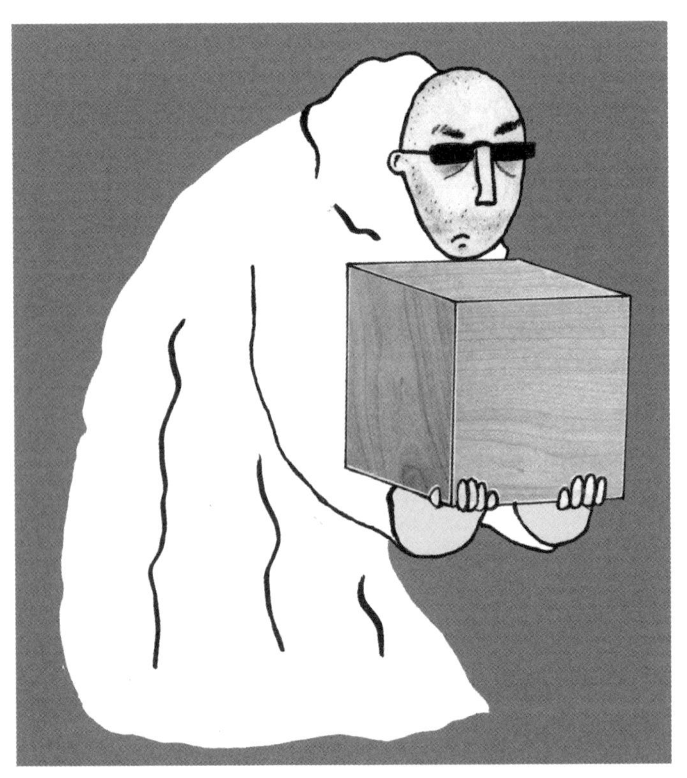

'Ydy e'n un o'r bobl sy'n mynd i Gerrig yr Orsedd? Mae'n debyg i'r bobl welon ni yn y ffilm yn yr ysgol.'

'Efallai wir,' atebodd Miss Prydderch, a'r peth nesaf, roedd hi wedi mynd ato i'w holi!

'Ydych chi'n aelod o'r Orsedd?' clywodd y plant Miss Prydderch yn gofyn.

Ond doedd y dyn tal pen moel ddim eisiau siarad gyda Miss Prydderch, ac atebodd e ddim yn iawn, dim ond ysgwyd ei ben a cherdded yn gyflym, gyflym i ben y grisiau.

'Dyna ryfedd!' dwedodd Miss Prydderch, 'Am ddyn anghwrtais!'.

Ond doedd dim amser i boeni am bobl anghwrtais, oherwydd roedd Miss

Prydderch wedi agor un o'r drysau pren gyferbyn â'r ffenest.

'Dewch i weld llwyfan y pafiliwn!' meddai.

Mentrodd y criw draw o'r ffenest a thrwy'r drysau ar ei hôl. Doedd dim i'w weld ond bola mawr du. Ym mhen draw'r tywyllwch, ar ôl i'w llygaid arfer â'r düwch, sylwodd y plant ar y llwyfan ENFAWR gyda golau'n llifo o'r to arno.

'Yn fan'na,' meddai Miss Prydderch, 'byddwch chi'n canu brynhawn Mawrth …'

Roedd y geiriau'n ddigon. Llenwodd calon Alfred â philipalod ac adar bach ac OFN. A rhywbeth tebyg ddigwyddodd i galon pawb arall, ond fod neb eisiau dangos i neb arall … Ac wrth i'r pilipala chwyrlïo yng nghalon Alfred dechreuodd

Roedd Alfred wedi dysgu 'fodd bynnag' yn yr ysgol. Ffordd arall o ddweud 'ond' yw 'fodd bynnag'.

y llun o'r aderyn arian, enfawr chwyrlïo yn ei ben, ac ar draws y cwbl daeth llais Miss Prydderch unwaith eto:

'Reit! Bant â ni! Mae'n amser swper!'

Hwrê! Meddai Dewi Griffiths yn sŵn i gyd:

'Mynd i'r garafán, bant â ni, mynd i joio un-dau-tri!'

Ac allan yn ôl i'r coridor â nhw, heibio'r ffenest, i lawr y grisiau ac am y drysau gwydr.

Ond wrth i bawb ymuno i ganu: 'Mynd i'r garafán, bant â ni, mynd i joio un-dau-tri!' sylwodd Alfred eto o gornel ei lygad ar y ddraig arian sgleiniog ar y wal. Y tro yma, fodd bynnag, wrth i Alfred edrych arni, trodd yn goch am chwarter eiliad, cyn troi 'nôl yn arian eto!!!!

Edrychodd Alfred o'i gwmpas yn gyflym ac yna ar ei ffrindiau. Oedd rhywun arall wedi sylwi ar hyn? Ond na! Roedd y bois i gyd yn rhy brysur yn siantio gyda Dewi, 'Mynd i'r garafán, bant â ni, mynd i joio un-dau-tri!'

Elen! Meddyliodd, oedd Elen wedi'i gweld, tybed?

Ond roedd Elen ymhell ar flaen y criw hefyd yn siantio'n hapus: 'Mynd i'r garafán, bant â ni, mynd i joio un-dau-tri!'

Edrychodd eto ar y ddraig arian. Ac unwaith eto trodd yn goch i gyd ac yna yn ôl yn arian.

Waw! Dyna dric da, meddyliodd, ond doedd dim amser i oedi oherwydd roedd y criw'n diflannu'n gyflym i'r pellter. Roedd rhaid iddo redeg at y criw neu golli'r ffordd yn ôl i'r garafán …

A phan gyrhaeddodd e nhw, dechreuodd ganu:

'Mynd i'r garafán, bant â ni, mynd i joio un-dau-tri!'

'Mynd i'r garafán, bant â ni, mynd i joio un-dau-tri!'

'Mynd i'r garafán, bant â ni, mynd i joio un-dau-tri!'

Gyda phob cam ceisiodd Alfred ei orau glas i gael gwared ar y llun yn ei feddwl, y llun o hanner cysgod yr aderyn rhyfedd, enfawr, arian yn gwibio-hedfan drwy'r gair a'r llun o'r ddraig yn troi'n goch.

Ond roedd hynny'n amhosib, a'r holl ffordd 'nôl i'r Maes Carafannau dawnsiai pob math o eiriau drwy ei feddwl:

FFWRNAIS.
FFWRNAIS.
FFWRN.
GWRES.
TÂN.

Pennod 9

Bore Sadwrn

◆◆◆◆◆◆◆◆◆◆◆◆◆◆◆◆◆◆◆◆◆◆◆◆◆◆◆◆◆◆◆◆◆◆◆◆◆

Os oedd Alfred wedi deffro yng nghanol y nos a'i ben yn oer y tu allan i'r adlen, erbyn i'r bore ddod, roedd e'n cysgu'n drwm a doedd dim awydd deffro arno o gwbl.

Roedd Dewi Griffiths, fodd bynnag, wedi neidio ar ei draed pan glywodd e'r cloc larwm, ac wedi dechrau ysgwyd ei ffrind.

'Alfred! Dere! Mae'n amser codi! Cym on! Cwyd! Cwyd! **SHIFFTA!**'

'Heb os nac oni bai' = 'yn siŵr'.

Yn araf bach, llusgodd Alfred ei gorff o'r sach gysgu fel lindys diog yn gadael ei wisg o groen.

Codi. Cawod. Brecwast. Ymarfer. **TRIP** i **GASTELL CAERDYDD**. Dyna oedd y cynllun.

Mae cael cawod ar faes carafannau yn brofiad od. Chi'n cerdded ar hyd cae yn eich pyjamas yn dal brwsh dannedd a lliain ac yn dweud 'bore da' wrth bobl sydd hefyd mewn pyjamas ond pobl dy'ch chi ddim yn eu hadnabod o gwbl. Od. Od iawn.

Ond weithiau, chi'n adnabod y bobl. Mae hynny'n fwy od fyth. I Dewi Griffiths ac Alfred y peth mwyaf od, heb os nac oni bai, oedd cerdded ar draws y cae i'r gawod a gweld Mr Elias – **Y PRIFATHRO** –

yn ei byjamas! Yn pwyso ar fraich Mr Elias roedd Mrs Elias yn ei phyjamas hithau. A chan ei bod hi'n disgwyl babi roedd hi'n edrych yn arbennig o od.

Mor od nes penderfynodd Dewi Griffiths ac Alfred ddweud 'bore da' a rhedeg.

Ond wrth redeg, doedd Dewi Griffiths ddim yn edrych i ble roedd e'n mynd, a'r peth nesaf welodd Alfred oedd Dewi'n rhedeg mewn i sied 'molchi'r merched!

Mewn llai nag eiliad daeth Dewi Griffiths allan eto fel mellten a'i wyneb e'n goch fel tomato. Rhedodd y ddau wedyn nes cyrraedd sied 'molchi'r bechgyn, ac yno yn eu disgwyl roedd cawod o ddŵr **OER**.

Dyna beth oedd deffro! Os oedd

'Jim Cwsg' oedd gair mam Alfred am y tywod bach sy'n casglu yng nghornel dy lygaid ar ôl bod yn cysgu'n drwm. Mae rhai pobl yn ei alw'n 'Huwcyn Cwsg'.

unrhyw argoel o Jim Cwsg yn llygaid y ddau ffrind, diflannodd yn llwyr wrth i'r dŵr rhewllyd ddweud ym mhob diferyn 'Deffrwch! Deffrwch! Deffrwch!'

Wedi bwyta cymaint yn BBQ Myng Lewis Vaughan y noson cynt, roedd hi'n anodd credu bod lle yn stumog Alfred a Dewi am un briwsionyn o fara, heb sôn am frecwast iawn. Ond roedd y ddau bron â llwgu.

Ac wrth iddyn nhw gerdded 'nôl i'r adlen roedd arogl y bacwn ar ffwrn fach Mr Griffiths yn eu tynnu nhw fel magnet.

Iym. Iym. Iym.

Roedd Alfred yn barod.

Codi: ☑

Cawod: ☑

Brecwast: ☑

Os wyt ti'n 'awyddus' i wneud rhywbeth, rwyt ti eisiau gwneud rhywbeth yn fawr.

Ymarfer ☐ Dyna beth oedd nesaf ar y rhestr … ac wedyn **TRIP** i **GASTELL CAERDYDD**.

Roedd Alfred yn edrych ymlaen yn fawr at y trip i'r castell. Doedd e erioed wedi bod mewn castell. Doedd e ddim mor awyddus i fynd i'r ymarfer. Ond ymarfer oedd rhaid.

'Siarsio' = rhybuddio.

Sef dim munud yn gynharach ac yn sicr dim munud yn hwyrach.

Pennod 10

Ymarfer 1 – Dafad

◆◆◆◆◆◆◆◆◆◆◆◆◆◆◆◆◆◆◆◆◆◆◆◆◆◆◆◆◆◆◆◆◆◆◆◆◆

Roedd Miss Prydderch wedi siarsio pawb i ddod draw i adlen ei charafán am 9 o'r gloch y bore ar ei ben! Ac roedd pawb yno. Athrawes felly oedd Miss Prydderch. (Rwyt ti'n siŵr o fod yn adnabod rhai fel hi. Y rhai sy'n dweud rhywbeth ac mae

PAWB yn ei wneud e. Fyddai neb wedi mentro bod yn hwyr i Miss Prydderch.)

Aeth y plant i gyd i mewn i adlen carafán rhif 474 ac aeth yr oedolion i mewn i garafán 473 drws nesaf at Anti Emma (modryb Cadi).

Dechreuodd Miss Prydderch ar y gwaith heb wastraffu eiliad.

'Iawn,' meddai. 'Fel y'ch chi'n gwybod, mae pawb drwy Gymru wedi clywed am ein pentre ni ac am y ffordd ry'n ni gyd wedi gweithio gyda'n gilydd i greu gwaith. Ac mae pawb hefyd yn gwybod ein bod ni'n arbennig o falch o'r defaid a'r gwlân sydd gyda ni yn yr ardal. Dyna pam mae gyda ni fusnesau gwneud siwmperi a dillad gwely a phob math o bethau gwlanog eraill. A dyna pam fod gyda ni stondin arbennig yn yr Eisteddfod …'

Stopiodd Miss Prydderch. Roedd Anwen Evans wedi codi ei llaw.

'Ie, Anwen?' holodd Miss Prydderch yn garedig.

'Pryd fydd fy nhro i i ofalu am y stondin?'

'Cwestiwn da, Anwen. Mae gyda ni rota. Ac ar ôl yr ymarfer, fe esboniaf i wrth bawb *pwy* sy'n gofalu am y stondin *pryd*.'

'Beth yw rota, Miss Prydderch?'

'Cwestiwn da arall, Anwen. Rota yw rhestr sy'n dweud *pwy* sy'n gwneud *beth* a *phryd*. O'r gorau?'

Nodiodd Anwen ei phen.

'Iawn, 'nôl at y GWLÂN. Fel y'ch chi'n gwybod, oherwydd bod ein pentre

Dyna'r trydydd tro i Miss Prydderch ddweud 'arbennig' mewn 2 funud.

Sef 'pobl sy'n mynd i'r Eisteddfod'.

ni, Gwaelod y Garn, yn enwog drwy Gymru am ein gwaith gyda gwlân, mae Cymdeithas Gwlân Cymru wedi gofyn i ni ganu yn ystod seremoni arbennig fore dydd Mawrth. Mae'n hysbyseb wych i'n stondin ni a gobeithio bydd yr Eisteddfodwyr i gyd yn tyrru draw i brynu nwyddau Gwaelod y Garn.

'Ac fel y'ch chi'n gwybod, ni'n mynd i ganu cân 'Y Ddafad Gorniog', ac fel y'ch chi'n gwybod hefyd, mae Mr Elias wedi ysgrifennu dau bennill newydd i ni.'

Mmmm. Cân 'Y Ddafad Gorniog'. Hen gân Gymreig. Doedd Alfred ddim yn meddwl llawer o'r gân pan glywodd e hi gyntaf. A bod yn hollol onest, roedd e'n dal i feddwl ei bod hi'n gân braidd

'Nwyddau' yw'r pethau sydd ar werth ar y stondin.

Sef 'dod yn bentwr mawr o bobl'.

Os wyt ti eisiau gwybod mwy am hyn, bydd angen darllen Llyfrau Miss Prydderch 1, 2 a 3.

yn ddwl, a hynny hyd yn oed ar ôl iddo fod yng Nghoedwig y Tylluanod lle mae defaid wir yn gallu gwneud pob math o bethau anhygoel.

Dyma bennill 1 a 2 o'r gân:

Mae gen i ddafad gorniog
ac arni bwys o wlân
yn pori min yr afon
ymysg y cerrig mân,
ond daeth rhyw hwsmon heibio
a hysiodd arni gi,
ni welais i byth mo 'nafad –
ysgwn i welsoch chi?

Mi gwelais hi yn y Bala,
newydd werthu'i gwlân
yn eistedd yn ei chadair

Hwsmon = math o ffermwyr; hysio = gyrru ar ôl

'flaen tanllwyth mawr o dân,
a'i phibell a'i thybaco
yn smocio'n abal ffri,
a dyna lle mae'r ddafad –
"Good morrow, John, how dee?"

Roedd llawer o broblemau gyda'r penillion hyn ym marn Alfred.

1) Sut gall dafad smygu?
2) Gan fod smygu yn beth mor ofnadwy, pam fod plant yn canu am ddefaid sy'n smygu?
3) Sut gall dafad eistedd mewn cadair?
4) Beth yn y byd yw 'abal ffri'?
5) Beth yw ystyr 'Good morrow, John, how dee?' (Doedd hyn ddim yn swnio fel Cymraeg, ond doedd Alfred erioed wedi clywed neb Saesneg yn dweud 'Good morrow' na 'how dee'.)

6) Sut bod hawl canu gair Saesneg fel 'good' yn yr Eisteddfod?
7) Pwy oedd John?

Roedd penillion 3 a 4, sef rhai Mr Elias, yn hollol hurt gyda gormod o bethau rhyfedd ynddyn nhw i'w rhestru.

Dyma nhw:

Fe'i gwelais mewn eisteddfod
yn canu roc a rôl,
ac wedi gorffen canu
mi ddawnsiodd ar ben stôl.
Mae ganddi ffrind sy'n darllen
pob math o lyfrau plant,
a chanu'r ffliwt a'r delyn
ac ambell diwn cerdd dant.

Ac enw'r ffrind yw Gwlanog –
mae ar ein stondin ni
'da Gwen, y ddafad gorniog,
o un ar ddeg tan dri,
ac yno maen nhw'n gweithio
a siarad yn Gymraeg,
a nhw yw'r defaid gorau
sy'n byw yng Ngwlad y Ddraig.

Hurt, hurt. Dyna oedd barn Alfred. Ond roedd Mr Elias yn meddwl eu bod nhw'n bril ac roedd Myng Lewis Vaughan wedi gwau dwy ddafad fawr ac roedden nhw'n mynd i fod ar stondin y 7G. Roedden nhw hefyd yn mynd i fod ar y llwyfan yn ystod yr eitem brynhawn Mawrth.

Yr unig beth da am y gân oedd bod

Gair Alfred am 'gwych'.

Miss Prydderch wedi gofyn i Mr Pickles ymuno gyda nhw a gwneud miwsig cŵl iawn ar y gitâr. Roedd hi hefyd wedi gofyn i Siôn Bevan chwarae'r drwms, ac ers hynny roedd Alfred yn hoffi'r gân ychydig bach yn fwy.

Ond 'sdim wir ots beth oedd Alfred yn ei feddwl am y gân. Roedd rhaid ei chanu, doed a ddêl.

Ac ymlaen â'r ymarfer!

'Doed a ddêl' yw ffordd o ddweud – 'sdim ots beth fyddai'n digwydd.

Pennod 11

Ymarfer 2 – Draig

◆◆◆◆◆◆◆◆◆◆◆◆◆◆◆◆◆◆◆◆◆◆◆◆◆◆◆◆◆◆◆◆◆◆◆

Roedd adlen Miss Prydderch yn enfawr a gosododd hi'r plant i gyd i sefyll yn dwt yn eu rhesi.

Yn y rhes flaen:
Rhian Beynon, bwlch ar gyfer Gwyn a Deleila oedd yn cyrraedd nes ymlaen, Elen Dafydd, Siân Caruthers, Max Wyndham a Molly ei chwaer.

Roedd Miss Prydderch yn meddwl y byddai hi'n syniad da i gael Deleila, dafad Gwyn, ar y llwyfan hefyd!

Roedd e bob amser yn dechrau yn Gymraeg ac yn gorffen yn Saesneg.

Yn y rhes ôl:

Alfred Eurig Davies, Ben Andrews, Anwen Evans, Cadi Thomas, Sara-Gwen, Dewi Griffiths a Lewis Vaughan.

Ar yr ochr:

Siôn Bevan a Mr Pickles.

'Iawn. Pawb yn barod? Pud Pickles – bant â chi!' meddai Miss.

A gyda hynny, daeth llais cŵl Mr Pickles o'r ochr yn dweud:

'Un – a dau – and three – and four …'

A dechreuodd pawb ganu.

Roedd Miss Prydderch yn weddol hapus. Weddol. Doedd hi ddim yn hapus iawn. Roedd angen rhywbeth arall ar y perfformiad …

Ac wrth iddi feddwl, aeth llaw Anwen Evans lan unwaith eto.

Roedd Mr Elias yn dweud 'da iawn, da iawn' drwy'r amser, hyd yn oed pan doedd pethau ddim yn 'dda iawn' o gwbl.

'Sorri, Miss Prydderch, dwi wedi anghofio … ble mae Gwlad y Ddraig?'

'Cwestiwn da, Anwen. Gad i mi weld – pwy sy'n gallu cofio ble mae Gwlad y Ddraig?'

Ond cyn i neb allu ateb, pwy ruthrodd i mewn i'r adlen fel dyn gwyllt yn chwifio baner Cymru ar goesyn bach, bach ond Mr Elias.

'Bore da! Bore da! Bore da, Blant! Da iawn! Da iawn! Da iawn!' meddai Mr Elias.

Ond roedd Anwen yn llawer rhy brysur yn ceisio ateb ei chwestiwn ei hunan i ddweud 'bore da' yn ôl wrth Mr Elias, a gwaeddodd:

'Fi! Fi! Fi! Dwi'n cofio nawr Miss Prydderch. Gwlad y Ddraig yw Cymru!!!!!'

Roedd Alfred hefyd yn rhy brysur i ddweud 'bore da' wrth Mr Elias. Roedd e'n syllu ar y ddraig ar y faner. Syllu a syllu a syllu. Oherwydd wrth weld y ddraig ar y faner, cofiodd am yr aderyn rhyfedd a welodd yn fflachio ar hyd y gair 'ffwrnais' ar flaen yr adeilad rhyfedd ddoe. Draig! Dyna beth oedd yr aderyn, heb os. Draig Ryfeddol. Y ddraig oedd yn byw ar wal y cyntedd yng Nghanolfan Mileniwm Cymru ac yn sgleinio'n arian i gyd, ond draig oedd hefyd yn gallu hedfan a fflachio'n goch … Roedd e bron â bod yn **SIŴR**!!

Roedd Elen Benfelen hefyd yn rhy brysur i ddweud 'bore da' wrth Mr Elias, oherwydd roedd Elen Benfelen hefyd yn syllu a syllu a syllu ar y faner ac yn cofio am y peth rhyfedd a welodd hi ddoe. A'r unig air oedd yn chwyrlïo o gwmpas ei phen hi hefyd oedd y gair 'Draig'. 'Draig'. 'Draig'.

Draig.

Roedd hi'n meddwl mai creadur mewn chwedl a stori oedd draig. Doedd dim dreigiau'n byw yng Nghymru HEDDIW…

Oedd 'na?

…

Tybed?

Pennod 12

Trip

◆◆◆◆◆◆◆◆◆◆◆◆◆◆◆◆◆◆◆◆◆◆◆◆◆◆◆◆◆◆◆◆◆◆◆◆◆

Ar ôl yr ymarfer, cerddodd y criw i gyd draw tuag at Gastell Caerdydd o'r Maes Carafannau, a phob cam o'r daith i'r castell tynnai Miss Prydderch sylw at fwy a mwy o bethau diddorol.

Dyma afon Taf.

Dyna gopa Eglwys Gadeiriol Llandaf.

Dyna gloc Neuadd y Ddinas.

Draw fan'na mae Stadiwm y Principality.

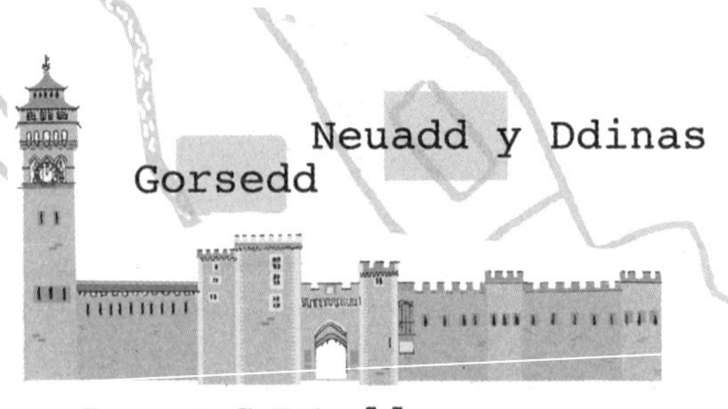

Castell

Stadiwm

Bae Caerdydd

CAERDYDD

Roedd Ben Andrews yn symud o gwmpas mewn cadair olwyn. Weithiau byddai un o'i ffrindiau'n gwthio'r gadair, weithiau byddai Ben yn ei gwthio ei hun drwy droi'r olwynion â'i ddwylo. Roedd e'n gallu symud fel mellten o gyflym wrth wneud hynny.

WOW!!! Roedd **PAWB** eisiau mynd i weld y stadiwm a gweld â'u llygaid eu hunain ble roedd y cewri rygbi yn chwarae yn eu crysau coch.

Ond 'dim heddiw' oedd ateb Miss Prydderch. 'Mae'n rhaid i ni frysio at y castell!'

Ben Andrews oedd y cyntaf i sylwi ar y mur mawr.

'Waaaaaw!' gwaeddodd Ben gan bwyntio at y wal. 'Mae'n **ENFAWR!**'

Roedd e'n dweud y gwir. Mae mur Castell Caerdydd YN enfawr.

'A bbbbbeth yn y bbbbbyd yw hwnna?' holodd Siôn Bevan gan bwyntio at flob o garreg oedd yn edrych fel deinasor bach ar dop y mur.

'Hwnna,' meddai Miss Prydderch 'yw un o Anifeiliaid y Mur. Ac os sylwch chi'n

Sef rhywbeth sy'n codi ofn tawel arnoch chi. Gall yr ofn fod yn fach neu'n fawr.

ofalus mae rhes o anifeiliaid bach tebyg ar hyd y mur i gyd.'

'Anifeiliaid? Doedden nhw ddim yn edrych fel anifeiliaid cyffredin!' meddyliodd Alfred.

Roedd rhywbeth sbwci am yr anifeiliaid hyn.

'Miss Prydderch?' Tro Sara-Gwen oedd hi nawr i ofyn cwestiwn.

'Pam maen nhw i gyd yn ceisio dianc o'r castell?'

'Cwestiwn da,' atebodd Miss Prydderch.

Ac yn wir, roedd cwestiwn Sara-Gwen yn un da iawn. Oherwydd wrth edrych yn ofalus ar yr anifeiliaid, roedden nhw i gyd yn edrych fel pe bydden nhw'n ceisio gadael y castell mor gyflym â phosib. Roedd pob anifail a'i wyneb yn pwyntio

Ti'n cofio mai ffordd arall o ddweud 'ond' yw 'fodd bynnag'?

dros y wal ac i'r stryd, ac roedd pob pen-ôl a chynffon (os oedd ganddyn nhw gynffon) yn wynebu gardd y castell. Ac wrth i bawb aros am yr ateb, dwedodd Miss Prydderch yn syml:

'Dwi ddim yn gwybod.'

Ddim yn gwybod! Dyna un o'r pethau gorau am Miss Prydderch, doedd hi ddim yn esgus gwybod yr ateb os nad oedd hi'n gwybod yr ateb. Ac os nad oedd hi'n gwybod, roedd hi wedyn fel arfer yn dweud … 'gadewch i ni weld pwy all ddod o hyd i'r ateb?' … ac roedd hynny fel arfer yn golygu gwaith cartref.

Tro yma fodd bynnag, ddwedodd hi ddim byd. Dim gair. Dim ond 'Dwi ddim yn gwybod'. Ac aeth yn dawel.

Yna, gofynnodd Dewi Vaughan, 'Ydy hi'n saff i ni fynd mewn?' Roedd e'n ceisio siarad mewn llais dwfn er mwyn trio cuddio'r ffaith ei fod e **BRAIDD** yn ofnus.

'Saff? Wrth gwrs ei bod hi Dewi! Ddim anifeiliaid go iawn y'n nhw. Maen nhw wedi'u gwneud o garreg. Dim ond anifeiliaid mewn dychymyg y'n nhw. Nawr dewch at y porth i ni gael mynd mewn.'

Porth! Roedd Alfred yn hoffi'r gair hwnnw. Dyna'r gair iawn am ddrws ENFAWR. Roedd Alfred yn meddwl bod yr O yng nghanol 'pOrth' yn well na'r W yng nghanol 'drWs' ar gyfer rhywbeth mawr. Mae'n rhaid i chi agor eich ceg yn fawr i ddweud **OOOOO** a chau eich gwefusau i ddweud **WWWW**.

Roedd Miss Prydderch wedi dechrau cyfri'r plant. Un, dau, tri, pedwar, pump,

Fel arfer mae 14, ond doedd Gwyn ddim yn cyrraedd tan amser cinio.

chwech, saith, wyth, naw, deg, un ar ddeg, deuddeg, un deg tri.

Roedd pawb yno, ac i mewn â nhw dros bont o bren oedd yn debyg i dafod yn crogi ar gadwyni mawr o ddur ac ymlaen drwy ddrws **ENFAWR** â dannedd miniog yn rhes ar hyd y top. Roedd y pOrth yn edrych yn debyg iawn i geg cawr.

Lwcus bod Ben yn ddewr, achos Ben oedd ar y blaen a dilynodd y lleill i gyd a'u coesau ychydig bach yn wobli.

Daeth y teimlad 'nôl i fola Alfred. Y teimlad a ddwedai wrtho fod antur yn dod yn nes!

Yn crynu (fel jeli).

P
RTh

Pennod 13

Ar lawnt y castell

◆◆◆◆◆◆◆◆◆◆◆◆◆◆◆◆◆◆◆◆◆◆◆◆◆◆◆◆◆◆◆◆◆◆◆◆◆

Tynnodd Miss Prydderch ddarn bach o garped a stôl deircoes o'i bag rhwyd. (Mae'n anhygoel beth gall Miss Prydderch stwffo i mewn i'w bag). Dwedodd wrth bawb am eistedd i fwyta'u brechdanau fel bod llai o bethau i'w cario wrth fynd o gwmpas y castell.

Roedd hi'n ddiwrnod **BENDIGEDIG**.

Dyma un arall o hoff eiriau Alfred - bendigedig - mae'r ddwy EE yn gwneud

Doedd e ddim yn gwybod pa reswm – unrhyw reswm. Ceisiwch chi ddweud bendigedig heb wenu . . . mae'n amhosib!

i chi wenu wrth ddweud y gair ac mae'r darn cyntaf 'bendi' yn gwneud i Alfred eisiau chwerthin am ryw reswm hapus.

Os wyt ti wedi darllen llyfrau Dosbarth Miss Prydderch 1 a 2 a 3, fel rwyt ti'n cofio, mae plant Bl 6 Ysgol y Garn yn gallu siarad iaith eu hunain, sef 'Y Garneg'. Dim ond plant Ysgol y Garn a darllenwyr y llyfrau hyn sy'n gallu siarad yr iaith hon. Dydy hyd yn oed Miss Prydderch ddim yn gallu ei siarad hi.

Yn Garneg, mae'r gair 'bendigedig' hyd yn oed yn fwy hapus:

befegen-difigi-efeged-ifigig

bendigedig:

befegendifigiefegedifigig

befegendifigiefegedifigig

Doedd Alfred erioed wedi cael brechdan afal o'r blaen, ond dyna beth oedd tad Max a Molly wedi gwneud i bawb ac roedden nhw'n flasus iawn iawn.

befegendifigiefegedifigig
befegendifigiefegedifigig

lym. lym. lym.

Doedd Alfred ddim yn siŵr beth oedd fwyaf blasus – y brechdanau afal yn ei focs bwyd neu'r gair 'befegendifigiefegedifigig'.

'Reit!' meddai Miss Prydderch, 'Mae'n bryd i chi gael clywed hanes y castell. Well i chi eistedd yn gyffyrddus oherwydd mae gwerth 2000 o flynyddoedd gyda ni i fynd drwyddo!'

Roedd y stori'n eitha cymhleth ac yn sôn yn bennaf am *bwy* oedd piau'r castell *pryd*. Ac ar ôl iddi orffen, dyma beth roedd Alfred wedi deall:

Gilbert Goch! Dyna enw da. Falle fod ganddo wallt coch, meddyliodd Alfred. Gwallt coch fel fi. (Doedd gwallt Alfred ddim yn goch iawn, ond roedd e'n hoffi meddwl ei fod e'n goch. Gwallt coch oedd gan ei dad.)

1) Yn gyntaf daeth y Rhufeiniaid bron i 2000 o flynyddoedd yn ôl ac adeiladu Caer, sef rhyw fath o gastell, yng Nghaerdydd.
2) Wedyn daeth y Normaniaid (o rywle yn Ffrainc) a chodi castell gwahanol yn yr un man.
   Wedyn roedd teulu 'de Clare' a rhywun o'r enw Gilbert Goch wedi dod.
3) Wedyn daeth teulu'r Despensers.
4) Wedyn, yn 1404 (roedd hwnnw'n ddyddiad hawdd i gofio gyda'r 4 yn dod ddwywaith), daeth Owain Glyndŵr a llosgi'r castell. Roedd e'n grac iawn am fod pobl o'r tu fas i Gymru'n dod a dweud wrth bobl Cymru beth i wneud yn eu gwlad

eu hunain. (Digon teg, meddyliodd Alfred.)

5) Wedyn daeth teulu'r Beauchampiaid.
6) Wedyn daeth teulu'r Neviliaid (roedd y rheiny'n swnio fel 'anifeiliaid').
7) Wedyn y Tuduriaid (roedd pawb yn y dosbarth wedi clywed am y teulu hwn, a phawb yn cofio am Harri'r 8fed a briododd 6 gwaith a thorri pen dwy o'i wragedd – sobor iawn!)
8) Wedyn teulu'r Herbertiaid.
9) Wedyn teulu'r Bute …
10) A nawr Dinas Caerdydd.

Ac un o'r teulu Bute oedd wedi cael y syniad o roi anifeiliaid rhyfedd i addurno'r mur.

Dyna beth ddwedodd Miss Prydderch.

Mae Miss Prydderch yn chwarae'r gêm hon yn aml ar ddiwedd gwers. Mae'n hoffi gwneud yn siŵr bod pawb wedi gwrando ac wedi deall.

'Beth ydy 'addurno?' gofynnodd Molly.

'Gwneud yn hardd,' oedd ateb Miss Prydderch

'Yn hardd????' meddai Molly mewn syndod, 'ond maen nhw'n **HYLL!!!!**'

Ac a bod yn onest, roedd Alfred yn cytuno â hi.

Wedyn, ar ôl i Miss Prydderch orffen dweud yr hanes, ac ar ôl chwarae'r gêm 'pwy sy'n cofio?' dyma hi'n gofyn:

'Oes gan rywun gwestiwn?'

Oedd! Roedd gan Ben gwestiwn.

'Allwch chi ddweud beth yw'r anifeiliaid, plis?'

'Wrth gwrs!' a thynnodd Miss Prydderch lyfr mawr llwyd o'i bag rhwyd a'i agor yn ofalus …

Pennod 14

Yr anifeiliaid ar y wal

◆◆◆◆◆◆◆◆◆◆◆◆◆◆◆◆◆◆◆◆◆◆◆◆◆◆◆◆◆◆◆◆◆◆

Ar bob tudalen yn llyfr mawr Miss Prydderch roedd rhywun, (Miss Prydderch ei hunan efallai), wedi tynnu llun yr anifeiliaid rhyfedd i gyd.

Yn ofalus, cododd y llyfr i bawb gael ei weld, ac wrth droi'r tudalennau dwedodd enwau'r anifeiliaid yn araf a gofalus.

Roedd clywed sŵn yr enwau a gweld y lluniau rhyfeddol ar yr un pryd yn codi bwmps ar groen breichiau Alfred.

Y gair Saesneg am 'afanc' yw 'beaver'.

Wyt ti'n gweld bod rhywun wedi gwneud camgymeriad? Mae'r enwau yn nhrefn y wyddor ond mae 'L' yn dod cyn 'Ll'!

(Pan fyddi di'n darllen y darn nesaf, dwed y geiriau'n araf mas yn uchel – cei weld eu bod nhw'n swnio'n rhyfeddol).

Tudalen1: Yr Afanc
Tudalen 2: Yr Arth
Tudalen 3: Y Blaidd
Tudalen 4: Yr Epaod
Tudalen 5: Y Fultur
Tudalen 6: Y Llew ar y Chwith
Tudalen 7: Y Llew ar y Dde
Tudalen 8: Y Llewes
Tudalen 9: Y Llewpart
Tudalen 10: Y Lyncs
Tudalen 11: Y Morgrugysor
Tudalen 12: Y Morlo
Tudalen 13: Y Pelican

Mae gair Cymraeg arall am hwn sef y 'Grugarth', a'r gair Saesneg yw 'Anteater' . . . ond doedd Alfred ddim yn meddwl y byddai platiaid o forgrug yn ddigon i fwydo anifail gyda'r fath drwyn hir.

Falle mai 'Racwniaid' yw'r gair Cymraeg iawn? Doedd Alfred ddim yn siŵr. Na Miss Prydderch. Rhywbeth rhwng cath a gwiwer yw racŵn.

Tudalen 14: Y Racŵns

Tudalen 15: Yr Udfil

Wrth bod Miss Prydderch yn mynd trwy'r rhestr roedd Elen Benfelen, Alfred, Sara-Gwen a Lewis Vaughan yn chwarae gêm (yn dawel, dawel) 'am y cyntaf i ddweud enw'r anifail yn Garneg'.

Dyma'r sgôr:

Lewis Vaughan	**2**
Fultur:	Fufugultufugur
Afanc:	Afagafafaganc
Sara-Gwen	**4**
Blaidd:	Blafagaidd
Morlo:	Mofogorlofogo
Lyncs:	Lyfygyncs
Arth:	Afagarth

Y gair Saesneg am udfil yw 'hyena'.

Elen Benfelen	**5**
Llewpart:	Llefegewpafagart
Racŵns:	Rafagacŵfŵgŵns
Udfil:	Ufugudfifigil
Llew ar y Chwith:	Llefegew afagar yfygy Chwifigith
Epaod:	Efegepafagaofogod

Alfred	**4**
Morgrugysor:	Mofogorgrugufugyfygysofogor
Llewes:	Llefegewefeges
Pelican:	Pefegelifigicafagan
Llew ar y Dde:	Llefegew afagar yfygy Ddefege

Elen oedd yr enillydd!

Tipical!

Roedd Ben Andrews hefyd wedi bod yn chwarae gêm yn dawel yn ei ben ar ôl iddo sylweddoli bod bron yr union yr un faint o anifeiliaid ar fur y castell ag sydd o blant yn y dosbarth. Gosododd ei hun fel y Blaidd, gan fod Ben a Blaidd yn dechrau gyda B. Wedyn cafodd e lawer o hwyl yn meddwl pa ffrind fyddai pa anifail. Dechreuodd gyda Max a Molly, am eu bod nhw'n GORFOD bod yn Racŵns gan fod dau ohonyn nhw a'r ddau Racŵn yn edrych yn UNION yr un peth â'i gilydd. Roedd dewis pwy fyddai Miss Prydderch yn hawdd hefyd. Roedd hi'n mynd i allu bod yn Llew ar y Chwith a'r Llew ar y Dde gan fod Ben yn cofio amdani yn troi yn DDWY Miss Prydderch yn stori 'Coedwig y Tylluanod'.

Penderfynodd wedyn osod yr anifeiliaid i gyd, a'r dosbarth i gyd, yn nhrefn y wyddor a gweld pwy oedd pwy.

Felly rhywbeth fel hyn oedd y rhestr yn ei ddychymyg:

Y Racŵns	Max a Molly
Y Llew ar y Chwith	Miss P melyn a phinc
Y Llew ar y Dde	Miss P pinc a melyn

Ac wedyn:

Yr Afanc	Alfred
Yr Arth	Anwen Evans
Y Blaidd	Ben Andrews
Yr Epaod	Cadi Thomas (a'i thedi-bêr)
Y Fultur	Dewi Griffiths
Y Llewes	Elen Benfelen

Y Llewpart	Gwyn Jones
Y Lyncs	Lewis Vaughan
Y Morgrugysor	Rhian Beynon
Y Morlo	Sara-Gwen
Y Pelican	Siân Caruthers
Yr Udfil	Siôn Bevan …

Tra roedd Ben yn chwarae'r gêm hon yn ei ben, ac Elen, Alfred, Lewis Vaughan a Sara-Gwen yn chwarae 'Enwau yn Garneg', roedd Miss Prydderch wedi cyrraedd tudalen 16 yn ei llyfr, a distawodd ei llais nes ei fod bron yn sibrydiad …

Tudalen 16:	Y Morfarch …
Tudalen 17:	…

Ond cyn iddi gael cyfle i sibrwd yr un gair pellach, digwyddodd dau beth …

Pennod 15

BOOOOOOOONG!

♦♦♦♦♦♦♦♦♦♦♦♦♦♦♦♦♦♦♦♦♦♦♦♦♦♦♦♦♦♦♦♦♦♦♦

Do, cyn iddyn nhw gael clywed beth oedd ar dudalen 17, yn sydyn, digwyddodd dau beth. Ac oherwydd y ddau beth hyn, roedd y disgyblion yn rhy brysur i fod wedi sylwi nad oedd llun o gwbl ar dudalen 16 na thudalen 17. O leiaf, dim llun iawn. Dim ond ôl pensil neu inc yn ysgafn, ysgafn, ysgafn …

Ac oherwydd y ddau beth a ddigwyddodd, roedd Miss Prydderch

Eu henwau nhw oedd ar y rota.

wedi cau'r llyfr ac roedd llygaid pawb wedi troi i gyfeiriad y PORTH MAWR.

Y peth cyntaf o'r ddau beth a ddigwyddodd oedd bod y criw wedi clywed sŵn llais cyfarwydd yn gweiddi 'Helô! Helô!' Ac o'r pellter, roedd rhywun yn rhedeg tuag atyn nhw.

GWYN JONES! Hwrê, roedd Gwyn wedi cyrraedd!!!

Roedd e wedi bod draw yn yr Eisteddfod ac i Stryd y Stondinau lle roedd mam Elen Benfelen a Sara-Gwen ar y rota yn gofalu am Stondin 7G. Roedden nhw wedi esbonio bod y criw wedi mynd ar drip i'r castell, ac felly roedd Gwyn wedi neidio 'nôl yn y pick-up, mynd yn gyflym i'r Maes Carafannau, gadael Deleila y ddafad fach yng ngharafán Lewis Vaughan a Myng, ac wedyn gyrru drwy Gaerdydd draw i'r castell …

'A dyma fi!' meddai Gwyn.

Yr ail beth ddigwyddodd, (fwy neu lai'r un pryd â gweld Gwyn), oedd bod bysedd cloc mawr tŵr Castell Caerdydd wedi cyrraedd 1 o'r gloch a bod y cloc wedi seinio un BOOOOONNGGGG enfawr nes gwneud i bawb neidio o'u crwyn.

Pan dawelodd pawb, gofynnodd Miss Prydderch mewn sibrydiad o lais, 'Pwy fyddai'n hoffi cael stori …? Mae *jyst* digon o amser. Stori Tŵr y Mwg.'

STORI! Hwrê!

Roedd pawb eisiau stori a doedd

BONG!!!

Neidio'n uchel ac yn bell ac yn gyflym.

dim angen i Miss Prydderch alw neb at y carped, oherwydd cyn iddi orffen y gair MWG, roedd pawb wedi llamu i'w lle:

'Ydych chi'n barod?' gofynnodd yn dawel, cyn galw mas: BANT Â NI!

Tŵr y Mwg … Dyma ni'n dod!'

Ac os wyt ti wedi darllen Llyfr 1, 2 a 3 fyddi di ddim yn synnu clywed beth ddigwyddodd nesaf. Ar y geiriau BANT Â NI cododd y carped gydag un chwyrlïad mawr i fyny ac i fyny â holl ddisgyblion Blwyddyn 6 Ysgol y Garn a phawb yn dal yn dynn yn ei gilydd…

Sef mwy nag un gardd – 'gerddi'.

Pennod 16

Tŵr y Mwg

◆◆◆◆◆◆◆◆◆◆◆◆◆◆◆◆◆◆◆◆◆◆◆◆◆◆◆◆◆◆◆◆◆◆

Wedi hedfan dros erddi'r castell gyda'r gwynt yn eu gwallt, dechreuodd y dosbarth ymlacio a mwynhau'r profiad o fod yn gallu hedfan drwy'r awyr las. Roedd ambell un o'r criw yn mentro edrych lawr. Ddim pawb. Ond un o'r rhai mentrus oedd Gwyn. A phan edrychodd Gwyn yn ôl at y ddaear, gwelodd ei rieni yn crwydro gerddi'r castell fel blociau chwarae. Cododd ei law a gweiddi **'IWHW!! HELÔ, MAM A DAD!**

Os y'ch chi'n 'taflu cipolwg', chi'n edrych yn gyflym, gyflym.

Ond er gwaetha'r ffaith iddo alw ar DOP ei lais, doedd ei rieni ddim yn edrych. Na neb arall o ran hynny. Taflodd Alfred gipolwg sydyn i lawr. Na. Doedd neb yn cymryd dim sylw o gwbl o'r carped a'i lond o blant yn hedfan yn yr awyr las.

'Mae'n rhaid bod Blwyddyn 6 a Miss Prydderch yn gwbl anweledig,' meddyliodd Alfred. 'Ni'n gweld pawb ond does neb yn ein gweld ni!'

Yna, rhoddodd Gwyn bwt i Alfred a phwyntio lawr, 'Drycha ar y dyn pen moel 'na'n cario bocs. Yr un sy'n gwisgo ffrog hir wen a sbectol haul. Mae'n edrych fel un o bobl yr Orsedd welon ni yn y ffilm yn yr ysgol!'

Taflodd Alfred gipolwg arall i lawr. 'Ti'n iawn a ti'n rong,' dwedodd wrth Gwyn.

'Mae e'n edrych fel un o bobl yr Orsedd. Ond dyw e ddim yn un ohonyn nhw… wel, sai'n meddwl ei fod e. Ni wedi'i weld e'n barod …'

Ond cyn i Alfred gael amser i esbonio mwy, daeth llais Miss Prydderch: 'Dacw Gerrig yr Orsedd!' Ac yn wir, draw yn y pellter roedd cylch o gerrig enfawr yn sefyll fel cewri mawr llwyd yng nghanol y glaswellt.

Gwibiodd y carped hud tuag atyn nhw a chwyrlïo y tu allan i'r cylch fel olwyn ffair.

Wedyn, yn ôl â nhw at y castell, ac wedi mynd o gylch hwnnw unwaith, ddwywaith, deirgwaith, dyma'r carped yn dechrau disgyn ychydig bach i gyfeiriad afon Taf ac yna hedfan yn araf yn ôl tua'r castell ar hyd Mur yr Anifeiliaid.

Ond roedd beth ddigwyddodd nesaf yn un o'r pethau rhyfeddaf a ddigwyddodd **ERIOED**.

Wrth i'r carped fynd heibio'r anifeiliaid yn eu tro, trodd POB UN disgybl, fesul un, yn anifail, a throdd yr anifeiliaid **I GYD** yn ddisgyblion!!!!

Y cyntaf i droi oedd Molly a Max. Wrth wibio heibio'r Racŵns, trodd Molly yn un racŵn a Max yn racŵn arall, a throdd y Racŵns yn Molly a Max!

Felly, ac mae hwn yn swnio'n hollol amhosib, ond amhosib neu beidio, ar ganol y carped roedd dau racŵn tebyg iawn i Molly a Max.

... Ac ar y mur roedd Molly a Max yn edrych yn debyg iawn i ddau racŵn!

Y nesaf i droi oedd Siôn Bevan. Trodd yn Udfil. Yna, trodd yr Udfil yn Siôn Bevan. Wedyn trodd Siân Caruthers yn Belican, a'r Pelican yn Siân Caruthers. Wedyn trodd Sara-Gwen yn Forlo, a'r Morlo yn Sara-Gwen.

Y rhai nesaf i droi oedd Rhian Beynon a Lewis Vaughan. Trodd Rhian yn Forgrugysor, a Lewis Vaughan yn Lyncs. Ac ie, chi'n iawn, dyma'r Morgrugysor yn troi'n Rhian a'r Lyncs yn Lewis Vaughan.

Roedd pawb ar y carped yn hollol, hollol fud.

Neb yn dweud dim.

Nes i Ben sibrwd … 'Dwi'n gweld beth sy'n digwydd!… Ni'n troi'n anifeiliaid yn ôl y wyddor go chwith!'

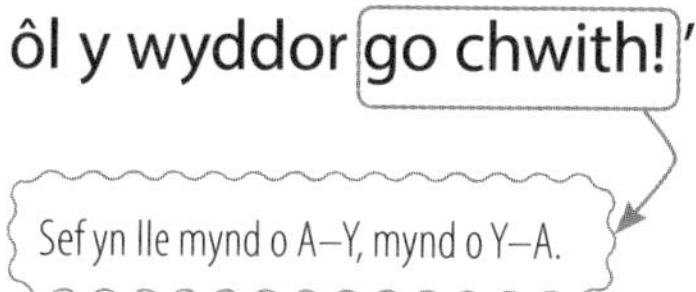

Alfred
Anwen Evans
Ben Andrews
Cadi Thomas
Dewi Griffiths
Elen Benfelen
Gwyn Jones
Lewis Vaughan
Max
Molly
Rhian Beynon
Sara-Gwen
Siân Caruthers
Siôn Bevan …

'Mae Siôn a Siân a Sara-Gwen, Rhian a Lewis Vaughan wedi troi. Gwyn fydd nesaf ac wedyn Elen Benfelen!'

Ac ar y gair, trodd Gwyn yn Llewpart a'r Llewpart yn Gwyn, a throdd Elen yn Llewes a Dewi Griffiths yn Fultur.

'Cadi sy nesa,' meddai Ben, 'ac wedyn fi!'

Roedd e'n llygad ei le. Dyma Cadi'n troi'n Epa – dim ond un … ac ar y mur roedd Cadi yn dal babi Epa.

Trodd Ben yn Flaidd a'r Blaidd yn Ben. Trodd Anwen Evans yn Arth. Trodd yr Arth yn Anwen Evans.

Ac wrth i Alfred edrych ar ei ffrindiau a'i lygaid led y pen ar agor mewn syndod, ac yna edrych ar y mur a gweld eu ffrindiau i gyd nawr wedi'u gwneud o garreg yn sownd ym mur castell Caerdydd, dyma fe ei hunan yn troi'n Afanc.

Ac ie – yno, islaw, yn lle roedd yr Afanc

wedi bod ers ymhell cyn i Alfred gael ei eni, roedd Alfred. Cydiodd yn ei ganol. Ffiw. Er ei fod yn Afanc, roedd ei wregys yn ddiogel amdano. Ac yn waled gudd y gwregys, roedd y chwistl-drwmp.

Felly, wrth i'r carped adael y mur a chodi a chodi a chodi gan hedfan tuag at y tŵr a chloc y castell, dyma pwy oedd arno:

Racŵns	Molly a Max
Afanc	Alfred
Arth	Anwen Evans
Blaidd	Ben Andrews
Epa	Cadi Thomas +un epa bach (sef tedi-bêr Cadi)
Fultur	Dewi Griffiths
Llewes	Elen Benfelen

Llewpart	Gwyn Jones
Lyncs	Lewis Vaughan
Morgrugysor	Rhian Beynon
Morlo	Sara-Gwen
Pelican	Siân
Caruthers	
Udfil	Siôn Bevan …

Yna, pan hedfanodd y carped i mewn drwy'r ffenest agored ar lawr uchaf tŵr y castell, trodd Miss Prydderch yn Llew!!!! Oedd yn wir. O fewn llai na munud roedd rhywbeth rhyfedd iawn, IAWN, IAWN wedi digwydd.

Roedd Alfred yn aml yn meddwl nad oedd gair yn y byd i gyd yn fwy o hwyl i'w ddweud na PENDRAMWNGWL.

Pennod 17

Y grisiau troellog, du

♦♦♦♦♦♦♦♦♦♦♦♦♦♦♦♦♦♦♦♦♦♦♦♦♦♦♦♦♦♦♦♦♦

Crynodd y tŵr wrth i'r carped lanio ar y llawr. Nid bwmp y carped oedd prif achos y crynu. Na. Roedd rhywbeth llawer mwy pwerus na hynny wedi achosi i'r tŵr i gyd grynu fel dannedd cawr ar ddiwrnod oer. Y cloc! Roedd y cloc yn taro deuddeg o'r gloch. A chyda phob 'bong', ysgydwodd yr ystafell gyfan a rholiodd y *plant/anifeiliaid* yn bendramwnwgl dros ben ei gilydd.

Deuddeg? Deuddeg? Dyna beth rhyfedd! Roedd hi'n un o'r gloch pan ddechreuodd Miss Prydderch ddweud ei stori. Roedd hi'n olau tu allan. Rhaid felly ei bod hi'n hanner dydd, nid hanner nos. Rhaid bod amser wedi mynd yn ôl awr …

Ond roedd criw'r carped hud yn llawer rhy brysur yn rholio a rhwbio'u llygaid i sylwi ar hyn.

Ar ôl gorffen rholio, edrychodd pawb ar ei gilydd. Doedd rhai ddim yn siŵr p'un ai crio neu chwerthin, ond pan welon nhw Miss Prydderch yn edrych fel Llew yn eistedd ar y stôl deircoes yn gwenu'n braf, dim ond un peth oedd i'w wneud. Chwerthin!

Siôn Bevan, yr Udfil, oedd y cyntaf i chwerthin. Does dim syndod am hynny.

Mae udfilod yn enwog drwy'r byd am eu chwerthin.

A chan ei fod e'n chwerthin, dechreuodd pawb arall chwerthin. Pawb yn pwyntio at ei gilydd ac yn chwerthin. Yng nghadair olwyn Ben roedd Blaidd. Yn gwisgo ffrog streipiog Sara-Gwen roedd Morlo. Roedd Llewpart yn gwisgo crys rygbi Gwyn. Ac o amgylch canol yr Afanc roedd gwregys Alfred Eirug.

Roedd Miss Prydderch yn meddwl bod angen creu gair i ddisgrifio'r disgyblion yn eu ffurf newydd, a dyma gynnig 'planteiliaid' neu 'anifeilblant'.

Planteiliaid oedd y dewis unfrydol.

Ac os oedd eisiau enw ar y disgyblion, roedd eisiau enw ar Miss Prydderch hefyd.

'Beth am Miss Pryddlew?' cynigiodd Elen Benfelen.

'Neu beth am Miss Llewerch?' cynigiodd Gwyn.

A dewisodd Miss Prydderch 'Miss Llewerch'.

Ac wedi i bawb dawelu, dechreuodd y planteiliaid edrych ar yr ystafell o'u cwmpas.

WAAAAAAW!!!

'Unfrydol' yw pan fo PAWB yn cytuno.

Doedd yr un ohonyn nhw, ddim hyd yn oed Miss Llewerch, wedi gweld y fath addurniadau crand. Roedd y waliau i gyd yn llawn lluniau mewn lliwiau coch ac aur cyfoethog. Roedd y cwbl yn disgleirio.

Lluniau o drychfilod, pilipalod, pob math o greaduriaid, llawer iawn o lewod … crocodeil, hyd yn oed.

'Pwy all ddyfalu beth yw enw'r ystafell hon?' holodd Miss Prydderch.

A dechreuodd y planteiliaid gynnig ateb. A'r hyn oedd yn rhyfedd oedd eu bod nhw'n siarad â'u lleisiau eu hunain, er eu bod nhw nawr mewn cyrff anifeiliaid.

Yr Ystafell Aur? Ystafell y Cloc? Ystafell y Llewod? Ystafell y Lle Tân neu Ystafell y Simnai? (Oherwydd roedd lle tân a simnai **ENFAWR** yno) …

'Mae'r cynnig olaf hwnnw'n un eithaf agos,' meddai Miss Llewerch. 'Ond dydw i ddim yn meddwl y bydd neb yn dyfalu'n union. Enw'r ystafell hon yw …' meddai cyn gwneud saib mawr. (Roedd Miss Prydderch yn aml yn rhoi saib mawr cyn dweud gair pwysig. Tric oedd hwn i wneud yn siŵr bod pawb yn gwrando a bod pawb bron â marw eisiau gwybod yr ateb.)

Dechreuodd eto. 'Enw'r ystafell hon yw … **SAIB MAWR ARALL** … Ystafell Smygu'r Haf.'

'Beth?' Roedd cwestiwn mawr ar wyneb y planteiliaid. 'Ystafell Smygu'r Haf?'

'Ond mae hwnnw'n enw twp!' meddai Ben-blaidd. A rhag ofn nad oedd pawb wedi deall ei farn, ychwanegodd 'twp, twp, twp, hollol hurt o dwp!'

Yn ôl yr olwg ar wyneb Miss Llewerch roedd hi'n cytuno. Ond esboniodd fod dwy stafell arbennig yn y tŵr lle byddai perchennog y castell, y Marcwis, yn mynd i smygu. Ystafell Smygu'r Haf ac Ystafell Smygu'r Gaeaf. Rhaid ei fod e'n smygu mewn un yn yr haf ac yn yr un arall yn y gaeaf.

'Smygu?! Ych a pych!' meddai Dewi-fultur. 'Ond dy'ch chi ddim fod i smygu!'

'Ti'n iawn, Dewi,' atebodd Miss Llewerch. 'Erbyn heddiw, mae doctoriaid wedi dangos i ni fod smygu'n gallu gwneud niwed mawr i ni, ond yn yr hen amser doedd pobl ddim yn gwybod hyn. A doedd y Marcwis yn amlwg ddim

Amser maith yn ôl roedd gan yr hen deuluoedd arfbais. Falle bod gan eich teulu chi arfbais?

yn gwybod hyn. Ac felly rwyf i'n galw'r stafelloedd yn syml iawn yn Ystafell yr Haf ac Ystafell y Gaeaf.'

'Pam fod gymaint o lewod ym mhobman?' gofynnodd Elen-llewes.

'Cwestiwn da!' atebodd Miss Llewerch. 'Y llew oedd ar arfbais y teulu ac roedd y Marcwis wrth ei fodd gyda'r llew.'

Ac wrth i rai o'r planteiliaid ddechrau cyfri'r llewod, meddai Miss Llewerch yn llawn cyffro:

'Dewch! Awn ni lawr i Ystafell y Gaeaf! Mae'n werth i chi weld honno hefyd. Bydda i a Ben-blaidd yn mynd gyntaf a dilynwch chi'n OFALUS. Pawb i gerdded yn syth ar fy ôl. Ac ar ôl i ni gyrraedd Ystafell y Gaeaf gwyliwch rhag llithro i lawr y grisiau nesaf. Maen nhw'n droellog iawn. A does neb yn gwybod yn union beth sydd ar eu gwaelod …

Gyda hyn, holltodd Miss Llewerch yn ddwy a chydiodd un ym mlaen cadair Ben a'r llall yn y cefn, ac yn ofalus ofalus, troediodd hi a'r planteiliaid allan o Ystafell yr Haf, ac i lawr yn ofalus i'r llawr nesaf lle roedd Ystafell y Gaeaf.

Ond doedd cerdded fel afanc ddim yn hawdd i Alfred …

Wedi cyrraedd Ystafell y Gaeaf a chyn mynd i mewn drwy'r drws, llithrodd ei droed …

Dim ond un llithriad bach …

A'r peth nesaf, roedd e'n troelli i lawr y grisiau du! Troelli a throelli a throelli nes cyrraedd y gwaelod lle doedd dim byd ond drws bach, bach DU.

Rhuthrodd Alfred-afanc CRASH yn erbyn y drws. Agorodd hwnnw'n sydyn cyn cau'n dynn. CLEC!

Roedd Alfred-afanc wedi brifo'i ben ac aeth popeth yn dywyll.

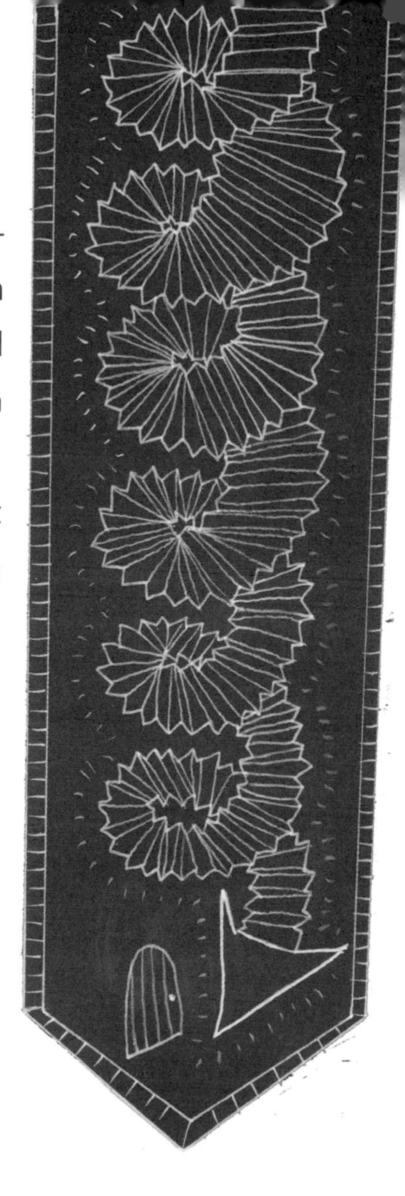

Pennod 18

Dau anifail coll

◆◆◆◆◆◆◆◆◆◆◆◆◆◆◆◆◆◆◆◆◆◆◆◆◆◆◆◆◆◆◆◆◆◆◆

Pan agorodd Alfred-afanc ei lygaid, synhwyrodd ei fod mewn rhyw fath o gell. Doedd dim ffenest yno. Dim byd. Roedd hi'n oer ac yn dywyll. Ac roedd arno ychydig bach o ofn.

Beth oedd wedi digwydd? Ceisiodd gofio.

Yn araf bach, cofiodd ei fod wedi dod i'r Eisteddfod Genedlaethol a'i fod yn aros yn adlen camper-fan Molly a Max.

Wel, lot o ofn a dweud y gwir.

Cofiodd ei fod wedi llithro yn nhŵr Castell Caerdydd. Llithro i lawr ac i lawr ac i lawr rhyw risiau troellog.

Cofiodd ei fod e a'i ffrindiau nawr yn blanteiliaid.

Yna, Ust! Clywodd sŵn.

Sŵn crafu bach.

Tynnodd ei anadl yn siarp.

'Pppppppppwy sy 'na?' holodd yn betrus.

Dechreuodd ei lygaid weld. 'Dyna un fantais o fod yn afanc,' meddyliodd Alfred. Creadur y nos yw'r afanc ac mae'n gallu gweld tipyn gwell yn y tywyllwch na bachgen cyffredin o Flwyddyn 6.

'Fan hyn! Fan hyn!' Daeth llais bach o gornel y gell.

Ar ôl craffu, mentrodd Alfred-afanc

Amlinell yw llun sy'n dangos dim ond siâp rhywbeth, heb ddim tu mewn iddo.

yn nes – rhyw gam neu ddau ar y tro gan dynnu ei ben-ôl ar ei ôl.

Ar y wal dywyll ym mhen pella'r gell fach gallai weld amlinell dau greadur.

Dim ond amlinell. Doedd dim 'tu fewn' ganddyn nhw o gwbl. Fel pe byddai rhywun wedi dechrau eu creu ond heb eu gorffen.

Doedd gan Alfred ddim syniad o gwbl beth oedden nhw. Doedden nhw ddim yn anifeiliaid cyffredin. Ddim ci. Ddim cath. Ddim dafad. Ddim buwch. Ac o edrych yn fwy gofalus, gwelai Alfred fod y ddau yn hollol wahanol i'w gilydd.

'Ppppwy y'ch chi?' mentrodd holi.

'Morfarch ydw i,' meddai'r amlinell gyntaf, ac yna, gan ddefnyddio ei drwyn hir i bwyntio at yr amlinell arall, dwedodd 'a draig yw hi'.

Draig?!!!

Arswydodd Alfred-afanc! Draig!? Draig arall! Ond mae dreigiau'n beryglus. Mae dreigiau'n ffyrnig. Mae dreigiau'n gallu chwythu tân … Ac os oedd e wir wedi gweld draig yng Nghanolfan y Mileniwm, o leiaf bryd hynny roedd e yng nghwmni ei ffrindiau ac roedd hi'n olau. Roedd hi'n stori wahanol nawr. Roedd e nawr mewn dwnsiwn yn nhŵr Castell

Sef gair arall am 'selar'.

Caerdydd, **AR EI BEN EI HUN**, wedi troi'n blanteiliad. Roedd hi'n dywyll. Yn dywyll iawn.

Dechreuodd feddwl yn gyflym. Dianc! Mae'n rhaid i mi ddianc. Ble mae'r drws?

Roedd ar fin gweiddi **'HELP'** ar dop ei lais, pan ddaeth amlinell y ddraig oddi ar y wal a dechrau hedfan tuag ato. Stopiodd y gair **HELP** yng nghorn gwddw Alfred-afanc, ac er iddo agor a chau ei wefusau doedd dim smic, dim siw na miw, dim bw na ba yn dod allan.

Roedd ofn wedi rhewi pob sŵn..

Yna – a doedd Alfred-afanc ddim wedi disgwyl hyn – rhoddodd y Ddraig amlinell adain yn dyner, dyner dros ei groen afanc blewog.

Sef llais sy'n swno fel pe byddai llond llwnc o dywod yn ei grafu. Dydy llais 'crug' ddim yn glir.

Ac yna, mewn llais crug a'i llygaid yn drist, gofynnodd y Ddraig:

'Leph. Leph. Silp?'

O diar, diar, diar. Daliodd Alfred-afanc ei ben yn ei ddwylo bach.

Doedd ganddo fe ddim syniad beth oedd 'leph' na 'silp' ond gwyddai gymaint â hyn – doedd y ddraig hon ddim yn beryglus, ac roedd arni angen help.

Erbyn hyn roedd amlinell y Morfarch hefyd wedi dod oddi ar y wal ac yn sefyll ar bwys Alfred-afanc.

O leiaf roedd Alfred yn gallu deall ei eiriau e, ac er mor anhygoel o ryfedd oedd yr holl sefyllfa, teimlodd Alfred, yn ei ffurf afancaidd, yr ofn yn dechrau diflannu.

Alfred sydd wedi creu'r gair hwn.

Gofynnodd y Morfarch iddo, 'Wyt ti eisiau gwybod pwy y'n ni? Gawn ni ddweud ein stori ni wrthot ti?'

A bod yn gwbl onest, er ei fod e'n dechrau teimlo'n llai ofnus, byddai'n well gan Alfred-afanc fod wedi mynd 'nôl at weddill y planteiliaid ac at Miss Llewerch, ond clywodd ei lais ei hun yn dweud:

'Cewch, wrth gwrs,' meddai. Doedd ganddo ddim dewis. Er ei fod yn ei galon wir eisiau dianc, roedd golwg mor drist ar y Morfarch a'r Ddraig ac roedd e'n teimlo gymaint o biti drostyn nhw, eisteddodd yn dawel ar ei ben-ôl blewog i wrando ar eu stori.

Pennod 19

Stori'r Morfarch

◆◆◆◆◆◆◆◆◆◆◆◆◆◆◆◆◆◆◆◆◆◆◆◆◆◆◆◆◆◆◆◆◆◆

A fel hyn dechreuodd y Morfarch: 'Flynyddoedd maith yn ôl, roedd dyn o'r enw'r Marcwis yn byw yn y castell.'

'Dwi'n gwybod!' meddai Alfred-afanc. 'Dyn rhyfedd iawn oedd e. Ei syniad e oedd codi dwy stafell yn y tŵr er mwyn iddo gael achosi niwed mawr i'w hunan yn smygu …

'Dyna ti,' meddai'r Morfarch, 'a fe oedd y dyn aeth ati i ofyn i gerflunydd

'Cerflunydd' yw artist sy'n llunio pethau allan o ddefnyddiau fel carreg neu bren neu blastig.

o'r enw William Burges greu anifeiliaid o gerrig i'w rhoi ar fur y castell.'

'Paid â sôn! Dwi'n gwybod am rheiny hefyd ... Dyna pam dwi'n edrych fel hyn. Bachgen ydw i go iawn, ddim Afanc!'

Edrychodd y Morfarch yn syn, cyn mynd ymlaen â'i stori:

'Wel, roedd William Burges wedi creu o leiaf ddau anifail arall: fi, y Morfarch, a hi, y Ddraig. Roedd e wedi gwneud tipyn o waith yn fy nghreu i, ac wedi gwneud amlinell gref ohona i gyda phensil trwm. Roedd e bron â gorffen amlinell y Ddraig hefyd, ond dim ond mewn pensil ysgafn, ac roedd ar fin llenwi'n hamlinellau ni gydag inc, pan welodd y Marcwis y llyfr.

Am ryw reswm, doedd e ddim yn ein

Sef llyfr yn llawn tudalennau heb linellau. Mae artistiaid yn defnyddio llyfr fel hwn i wneud braslun (sgets) o syniadau.

hoffi ni'n dau o gwbl a rhwygodd e ni allan o'r llyfr braslunio …'

Arhosodd am eiliad oherwydd roedd ei lais yn mynd yn wan ac roedd deigryn bach yn ceisio dianc o'i lygad. Estynnodd y Ddraig amlinell ei hadain a sychu llygad y Morfarch …

Pesychodd yn dawel cyn dweud, 'Dy'n ni ddim yn gwybod pam. Does neb yn gwybod pam. Ond byth oddi ar hynny ry'n ni wedi cael ein hanghofio fan hyn yn seler dywyll tŵr y castell.'

Stopiodd eto am eiliad i glirio ei lwnc, yna dwedodd wrth Alfred-afanc:

'Ti yw'r creadur cyntaf i ni ei weld ers bron gant a hanner o flynyddoedd.'

Doedd Alfred-afanc ddim yn gwybod beth i'w wneud na beth i'w ddweud.

Os oes rhywbeth yn 'llaith' mae'n teimlo ychydig bach yn wlyb. Llaith nid llaeth! 'Milk' yw llaeth yn Saesneg a 'damp' yw llaith.

Roedd deigryn arall yn llygad y Morfarch, ac roedd calon Alfred-afanc yn teimlo'n wag ac yn llawn ar yr un pryd.

Ond doedd stori'r Morfarch ddim wedi gorffen. Aeth yn ei flaen:

'Ac yn waeth na phopeth, ry'n ni'n diflannu. Gyda phob gaeaf mae hi'n mynd yn ofnadwy o oer yn yr ystafell dywyll hon ac mae'r waliau'n mynd yn llaith. A fesul gaeaf mae ychydig bach mwy o'n hamlinell ni'n diflannu. Mae'r ddraig wedi ypsetio'n llwyr am hyn. Mae'n waeth arni hi nag arna i, oherwydd o leiaf mae fy amlinell i mewn pensil trwm. Dim ond amlinell pensil ysgafn yw hi. Collodd hi'r gallu i siarad yn iawn hanner can mlynedd yn ôl, a hyd yn oed cyn hynny, roedd hi wedi dechrau siarad gobldigwc. Neu o leiaf, doeddwn i ddim yn ei deall hi gwbl. Ond pan oedd hi'n siarad, cyn iddi fynd yn gymysglyd iawn, y peth oedd yn ei gwneud hi'n fwyaf trist oedd meddwl ei bod hi wedi colli ei thân. Sut all draig sy'n ddim ond amlinell greu tân? Dydy Draig sy ddim yn creu tân ddim yn Ddraig go iawn.'

Edrychodd Alfred-afanc draw at y Ddraig. Hyd yn oed os nad oedd hi'n gallu siarad yn iawn roedd hi'n amlwg ei bod hi'n deall y stori. Roedd ei phen hi'n isel a'i hadenydd hi wedi plygu. Roedd hi'n debycach i bilipala trist na draig â thân yn ei bola.

Ond roedd stori'r Morfarch yn parhau …

'Yn y dyddiau olaf, cyn iddi golli'r gallu

Sef 'dwlu' neu 'nonsens'. Roedd Alfred yn hoffi sŵn 'gobldigwc'.

i siarad yn iawn, roedd hi'n dweud yr un pethau drosodd a throsodd a throsodd. A dwi wedi gwneud ymdrech fawr i gofio beth oedd hi'n ddweud. Pedwar peth. Rwy'n siŵr eu bod yn bwysig, rywsut. Tybed a fyddi di, Afanc bach, yn gwybod?'

'Falle wir,' atebodd Alfred-afanc. 'Dweda wrtha i beth oedd y geiriau.'

'Awnriffs' oedd un peth.

'Awnriffs' meddai Alfred-afanc yn bwyllog.

'Malff' oedd yr ail beth.

'Malff,' ailadroddodd Alfred-afanc.

'Llaen Mog' oedd y trydydd.

'Llaen Mog,' meddai Alfred-afanc yn dawel.

A'r pedwerydd oedd *Ryll Weddar lana,'* meddai'r Morfarch.

'Ryll Weddar lana,' meddai Alfred-afanc fel eco.

Trodd at y Ddraig. Roedd hi wedi codi ei phen ac y nodio'n eiddgar. Roedd hi'n amlwg yn trio dweud y geiriau ei hun. Agorodd ei cheg i'r siâp AAAAA, ond ddaeth dim sŵn iawn allan.

'Does gen i ddim syniad beth yw ystyr hynny,' meddai'r Morfarch yn drist. 'Wyt ti'n gwybod?'

Byddai Alfred-afanc wedi dwlu gallu dweud 'ydw'. Ond doedd ganddo ddim syniad o gwbl beth oedd ystyr y geiriau rhyfedd … *Awnriffs, Malff, Llaen Mog* a *Ryll Weddar lana …*

Yna, gydag un ymdrech fawr iawn, daeth sŵn bach allan o geg y ddraig.

'Leph, leph, silp…'

Dyna'r un geiriau ag o'r blaen. …. *Leph, leph, silp.*

Ysgydwodd y Morfarch ei ben yn drist.

'Na. Dim syniad. Ond rwy'n gwybod un peth … mae angen dy help di arnon ni, Afanc bach, i gael dod o'r lle hwn cyn byddwn ni wedi diflannu am byth. Helpa ni. Plis.'

Ac roedd Alfred-afanc yn cytuno. Roedd rhaid gwneud rhywbeth.

Ond beth?

Pennod 20

Jyst mewn pryd

◆◆

Os nad oedd Alfred yn gwybod yn iawn sut i achub y Ddraig a'r Morfarch, roedd e'n gwybod rhywbeth arall yn bendant. Roedd yn **RHAID** iddo geisio dychwelyd at y planteiliaid a Miss Llewerch. Roedd hynny'n bwysig am ddau reswm. Yn y lle cyntaf, doedd e ddim eisiau cael stŵr na bod yn styc yn yr ystafell dywyll am byth. Yn ail, roedd e'n gwybod os oedd e'n

Gair arall am 'fynd 'nôl' yw 'dychwelyd'.

Alfred sydd wedi creu'r gair hwn hefyd.

mynd i allu achub y Ddraig a'r Morfarch, y byddai'n rhaid iddo fynd allan er mwyn cael syniad sut i wneud hyn ac er mwyn cael help.

Addawodd addewid afancaidd ac alfredaidd wrth y ddau greadur bach y byddai'n **SIŴR** o ddod yn ôl ond bod rhaid iddo fynd allan yn gyntaf, ac roedd e'n meddwl eu bod nhw'n deall.

Y broblem **ENFAWR** oedd ganddo nawr oedd sut i ddod o'r lle tywyll hwn!

Roedd y drws wedi cau'n glep y tu ôl iddo ac roedd y Morfarch a'r Ddraig yn llawer rhy wan i'w helpu ei agor. Yr unig obaith oedd dod o hyd i arf – morthwyl, cŷn, cyllell … unrhyw beth metel miniog allai wthio rhwng y drws a'r ffrâm er mwyn ceisio ei wasgu ar agor.

Craffodd gyda'i lygaid afancaidd ym mhob cornel o'r gell. Dim byd. Dim byd o gwbl.

Erbyn hyn, roedd y Morfarch a'r Ddraig wedi mynd yn ôl i orffwys ar wal dywyll y gell. Roedden nhw wedi blino'n lân, ac roedd Alfred-afanc wedi sylwi ar ddarn bach o glust chwith y Ddraig yn diflannu o flaen ei lygaid. Roedd e'n sylweddoli bod amser yn brin. Cyn bo hir byddai Miss Llewerch yn siŵr o sylwi nad oedd e yn Ystafell y Gaeaf … a chyn bo hir iawn, byddai mwy o'r Ddraig wedi diflannu hefyd.

Roedd **RHAID** iddo ddianc.

Yn sydyn, cafodd syniad. Aeth i'r waled gudd yn ei wregys a thynnodd y

Sef rhoi'r gorau iddi.

chwistl-drwmp allan o'i chasyn gwlanog yn ofalus, ofalus.

Ceisiodd wthio blaen yr offeryn cerdd rhwng y drws a'r ffrâm. Gwthio a gwthio a gwthio. Gwasgodd ei fysedd bach yn dynn yn y ddolen a gwasgu a gwasgu a gwthio a gwthio.

Roedd hyn yn waith anodd i bawen afanc, ac roedd y chwys yn tasgu o'i wyneb.

Roedd bron, bron ag ildio pan agorodd y drws fel fflach gyda gwich enfawr a chreu bwlch jyst digon mawr i Alfred-afanc ruthro drwyddo.

CLEC! Caeodd yn dynn y tu ôl iddo.

Edrychodd Alfred-afanc yn ei bawen fach. Roedd y chwistl-drwmp wedi newid ei siâp yn llwyr. Ond doedd dim

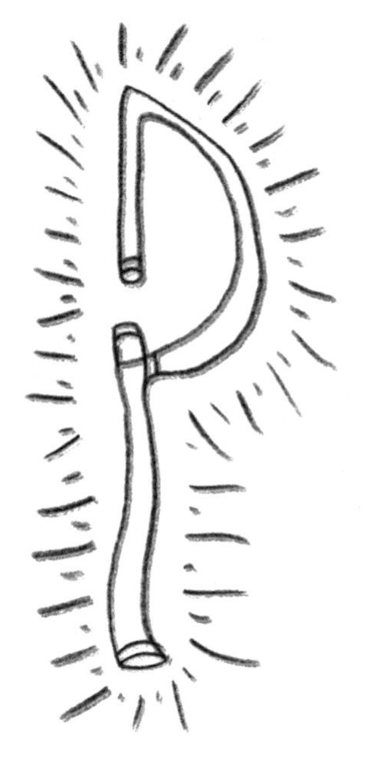

amser i boeni am hynny nawr. Roedd Alfred-afanc yn gwybod y byddai ei dad wedi bod yn falch fod yr offeryn cerdd rhyfeddol wedi achub ei fywyd. Gan obeithio'n fawr y byddai'n dal yn gallu canu tiwn arni, rhoddodd y chwistl-drwmp yn ofalus yn ôl yn y casyn gwlân a'i gosod yn waled gudd ei wregys.

Nawr am y grisiau. Cododd ei ben i edrych arnyn nhw'n troelli'n dywyll i fyny.

Roedd dringo'r rhain fel concro'r Wyddfa i afanc bach. Ond doedd dim amdani. Anadlodd anadl ddofn a dechrau cripian mor gyflym ag y gallai yn ôl i ben y grisiau troellog ac at y lleill. Wrth iddo ddod yn nes i fyny clywodd lais Elen-llewes yn sibrwd-galw 'Alfred! Alfred!' A phan gyrhaeddodd dop y grisiau gwelodd ei bod hi'n chwilio amdano.

'Yma! Dwi yma!' meddai Alfred-afanc.

'Alfred!' sibrydodd Elen-llewes. 'Ble ti 'di bod? Mae Miss Llewerch newydd ddweud bod rhaid i ni gyd adael y tŵr cyn i'r cloc daro un. Dyw hi ddim wedi sylwi eto dy fod di ar goll. Ond mi fydd hi. Mae wedi dechrau'n cyfri ni. Gyflym! Dere. Neu byddwn ni'n dau mewn trwbl mawr!'

'Elen! Mae gen i **GYMAINT** i ddweud wrthot ti … ti ddim yn mynd i gredu …!'

Ond doedd Elen-llewes ddim yn gwrando. Roedd hi'n brysio 'nôl at y criw.

O Ystafell y Gaeaf gallai Alfred-afanc glywed llais yn rhifo 'un deg un, un deg dau …'

Roedden nhw jyst mewn pryd!

Pwyntiodd bys Miss Llewerch at Elen-llewes 'un deg tri,' ac yna at Alfred-afanc 'un deg pedwar'.

'Ffiw! Doedd hi ddim wedi sylwi. Chwarae teg i Elen-llewes am ddod i chwilio amdano,' meddyliodd Alfred.

'Iawn. Pawb ar y carped. Daliwch yn dynn. Mae'n bryd mynd 'nôl i'r Eisteddfod.'

Ac wrth i Miss Llewerch ddweud y

Cath sy'n 'canu grwndi' fel arfer. Dim y sŵn 'miaw', ond y sŵn arall mae cath yn ei wneud.

geiriau hynny, dechreuodd peiriant y cloc yn y tŵr ganu grwndi. Rhaid bod yr olwynion mawr yn dechrau deffro a bysedd enfawr y cloc yn paratoi i droi at un o'r gloch.

Ac mewn llai na hanner eiliad, wrth i lais Miss Llewerch ddweud 'Bant â ni!', chwyrlïodd y carped allan drwy ffenest y tŵr. Disgynnodd fel mellten tuag at fur yr anifeiliaid. Mewn chwinciad roedd y planteiliaid yn ôl yn blant, a'r anifeiliaid yn ôl yn eu cartrefi ar ben y mur yn syllu allan ar y stryd.

Gyda Miss Prydderch ar ei stôl deircoes, hedfanodd y carped i ardd y castell a glanio –bwmp – heb fod yr un ymwelydd yn sylwi dim.

Pennod 21

Dirgelwch

◆◆◆◆◆◆◆◆◆◆◆◆◆◆◆◆◆◆◆◆◆◆◆◆◆◆◆◆◆◆◆◆◆◆◆◆

Wrth gerdded yn nôl tua Maes Carafannau'r Eisteddfod, roedd y criw i gyd yn siarad am y stori cŵl ac am yr anifeiliaid a'r tŵr a'r stafelloedd crand yn llawn lluniau aur a choch, ond siarad am y cyfan 'fel stori' o'n nhw.

Roedd Alfred bron yn siŵr nad stori oedd hyn. Roedd e bron yn siŵr ei fod e, **GO IAWN**, wedi troi'n afanc am gyfnod bach. Roedd e bron yn siŵr ei fod wedi

Wyt ti'n cofio ffeindio fi ar dop y grisiau?

syrthio'n bendramwnwgl i waelod y grisiau. Roedd e bron yn siŵr ei fod wedi cwrdd â morfarch a draig.

BRON yn siŵr. Nid yn **HOLLOL** siŵr.

Elen!? A fyddai hi'n cofio ei weld e ar ben y grisiau?

Dechreuodd Alfred gerdded yn arafach na'r lleill er mwyn creu bwlch bach rhyngddo fe a gweddill y criw. Yna, galwodd ar Elen.

Daeth hi 'nôl ato. A chyda'r ddau ychydig bach y tu ôl i bawb arall gofynnodd Alfred yn Garneg:

'Wfwgwyt tifigi yfygyn cofogofiofogo ffefegeindiofogo fifigi afagar dofogop yfygy grifigisiafagau?'

'Yfygydwfwgw,' atebodd.

Wyt ti'n cofio fi'n dweud bod GYMAINT gyda fi i ddweud wrthot ti?

'Wfwgwyt tifigi yfygyn cofogofiofogo fifigi'n dwefegeud bofogod **GYFYGYMAFAGAINT** gyfygydafaga fifigi i ddwefegeud wfwgwrthofogot tifigi?'

'Safagain siŵfŵgŵr,' oedd ateb Elen.

Sai'n siŵr! Sai'n siŵr!

Efallai mai dychmygu'r hanes roedd e wedi'r cyfan. Ac eto, roedd Alfred **BRON IAWN** yn siŵr.

A'r noson honno cyn mynd i'w sach gysgu yn adlen camper-fan Molly a Max, gorweddodd Alfred ar wastad ei gefn yn y gwair ac edrychodd lan at y sêr.

Gallai weld patrwm cytser y ddraig yn glir uwch ei ben.

Cofiodd am gysgod yr aderyn mawr a welodd yn gwibio drwy'r gair **FFWRNAIS**

Sai'n siŵr.

'Cytser' yw grŵp o sêr sydd, gyda'i gilydd, yn gwneud patrwm.

ar dalcen yr adeilad mawr ym Mae Caerdydd.

Cofiodd am y Ddraig arian sgleiniog ar y wal.

Cofiodd am y Ddraig drist yn y gell yn seler tŵr y castell.

Cofiodd am y Ddraig ar faner Mr Elias …

Pedair draig. Roedd hynny'n beth rhyfedd iawn.

Ac wrth iddo feddwl fel hyn, daeth geiriau dieithr i'w ben:

Leph, leph, silp…

Malff …

Llaen Mog…

Awnriffs …

Ryll Weddar lana …

Geiriau draig fach y seler.

Tybed? Stori? Neu Hanes? Dychymyg neu Ffaith? Mmmm.

Ac roedd Alfred yn hoffi meddwl ei fod e'n un da am syniadau . . .

Roedd Alfred wedi cael syniad. Bore fory, byddai'n gofyn i Lewis Vaughan a Dewi Griffiths a oedden nhw'n cofio geiriau'r Ddraig yn stori Miss Prydderch.

Os bydden nhw'n dweud 'ydyn', popeth yn iawn. Byddai hynny'n golygu mai dim ond rhan o stori Miss Prydderch oedd y Morfarch a'r Ddraig.

Os bydden nhw'n dweud 'na', byddai hynny'n **BRAWF** mai dim ond Alfred oedd wedi clywed amdanyn nhw. Ac felly'n **BRAWF** fod Alfred wedi bod ar ei ben ei hun yn y seler ddu.

Ac os oedd e wedi bod yn seler ddu, byddai'n **RHAID** iddo fe fynd yno eto.

Oherwydd roedd dau anifail bach yno yn **DIBYNNU** ar ei HELP.

Leph, Leph, Silp.

Pennod 22

Niwl

Bore dydd Sul, cafodd y plant un ymarfer arall gyda Pud Pickles a Miss Prydderch, cyn ei bod hi'n amser mynd i'r Eisteddfod ac i Stryd y Stondinau.

Roedd Alfred yn cofio fod ganddo gwestiwn i Lewis Vaughan a Dewi Griffiths, ac felly cyn mynd i mewn i adlen Miss Prydderch, gofynnodd mewn llais cŵl …

'Yyyy, bois. Chi'n cofio stori Miss Prydderch ddoe? Chi'n cofio'r darn am y Ddraig oedd methu siarad?'

'Yyyy – nadw,' meddai Lewis Vaughan gan edrych yn syn.

'Draig? Na, sai'n credu oedd Draig yn y stori,' atebodd Dewi Griffiths. 'Dwi'n cofio Pelican ac Udfil … ond ddim Draig.'

'Morfarch?' gofynnodd Alfred.

'Nyp'. Dydy 'nyp' ddim yn air iawn; byddai siŵr o fod yn well dweud 'naddo wir'.

'Nyp,' atebodd y bechgyn.

NYP! NYP!

Felly doedd y Ddraig na'r Morfarch ddim yn stori Miss Prydderch. Dim ond fe oedd yn gwybod am y Ddraig a'r Morfarch. Ac os nad oedden nhw yn stori Miss Prydderch, rhaid eu bod nhw yn y castell **GO IAWN ...**

Ond tra bod meddwl Alfred fod yn sgwishd mewn penbleth, roedd Miss Prydderch wedi galw pawb i'r adlen a dechreuodd yr ymarfer.

Doedd Mr Elias ddim yn gallu dod am fod Mrs Elias ddim yn teimlo'n sbeshal, ond roedd Miss Prydderch, diolch byth, ychydig yn hapusach gyda'r perfformiad

Doedd Alfred ddim yn credu bod hwn yn air iawn, ond dyma'n UNION sut oedd e'n teimlo – yn sgwishd yn ei ben.

'O na!' meddyliodd Alfred . . . mae syniadau Miss Prydderch yn gallu bod yn rhai rhyfedd iawn .

erbyn diwedd yr ymarfer. Ac eto, roedd hi'n teimlo bod angen UN peth arall. Dyna pryd cafodd hi'r syniad! Gofynnodd i Alfred ganu ei chwistl-drwmp rhwng y penillion.

Y CHWISTL-DRWMP!

Cofiodd Alfred am y drws bach ac am y gwaith caled cafodd e fel afanc i'w agor ac am y ffordd y defnyddiodd e'r chwistl-drwmp i agor y drws a sut y newidiodd ei siâp wrth wasgu, gwasgu yn y crac rhwng y drws a'r ffram.

Sut allai fod wedi anghofio?! A'i galon yn carlamu, rhoddodd ei law yn y waled fach yn ei wregys. Heb dynnu'r offeryn allan o'r casyn gwlân, byseddodd ei siâp. Roedd e wedi newid yn llwyr! PRAWF! Roedd hyn yn BRAWF ei fod wedi defnyddio'r chwistl-drwmp i agor drws y seler go iawn. Ac os oedd hynny wedi digwydd go iawn, RHAID bod y ddau anifail bach yn styc GO IAWN. Ac os oedden nhw'n styc go iawn, byddai'n RHAID i Alfred fynd 'nôl i'w hachub. Roedd wedi addo.

'Alfred!' Roedd Miss Prydderch a phawb arall yn edrych arno. 'Wyt ti'n gwrando?'

'Yyydw, Miss,' atebodd.

'Wyt ti'n meddwl y byddai hi'n syniad da i ti ganu'r chwistl-drwmp rhwng y penillion?'

Doedd Alfred ddim yn meddwl bod hwn yn syniad da o gwbl. Am ddau reswm

1) Doedd e ddim eisiau tynnu'r chwistl-

drwmp allan o'r waled fach gudd a dangos i bawb ei bod wedi newid ei siâp yn llwyr.

2) Dim ond yn yr awyr agored oedd Alfred erioed wedi canu'r chwistl-drwmp achos dim ond yn yr awyr agored oedd ei dad yn canu'r chwistl-drwmp. Ac roedd ei fam o hyd yn dweud na fyddai ei dad fyth yn canu'r chwistl-drwmp dan do mewn adeilad. Doedd Alfred ddim yn gwybod pam.

Ond doedd dim posib dweud 'na' wrth Miss Prydderch. A beth bynnag, doedd e ddim eisiau esbonio a siarad am ei dad o flaen pawb.

Dwedodd Miss Prydderch mai ar ôl llinell olaf pob pennill y byddai angen i Alfred ganu tiwn:

Pennill 1 llinell olaf

… ysgwn i welsoch chi? Chwistl-drwmp

Pennill 2 llinell olaf

… "Good morrow, John, how dee?" Chwistl-drwmp

Pennill 3 llinell olaf

… ac ambell diwn cerdd dant. Chwistl-drwmp

Pennill 4 llinell olaf

… sy'n byw yng Ngwlad y Ddraig. Chwistl-drwmp

Yna, trwy lwc, dwedodd Miss Prydderch, gan fod amser yn brin, y bydden nhw'n ymarfer eto fory gyda'r chwistl-drwmp, a daeth yr ymarfer i ben.

BYW YNG NGWLAD Y DDRAIG!!!!??? DRAIG ARALL!

Roedd pen Alfred yn HOLLOL sgwishd erbyn hyn. Roedd e mewn penbleth mawr.

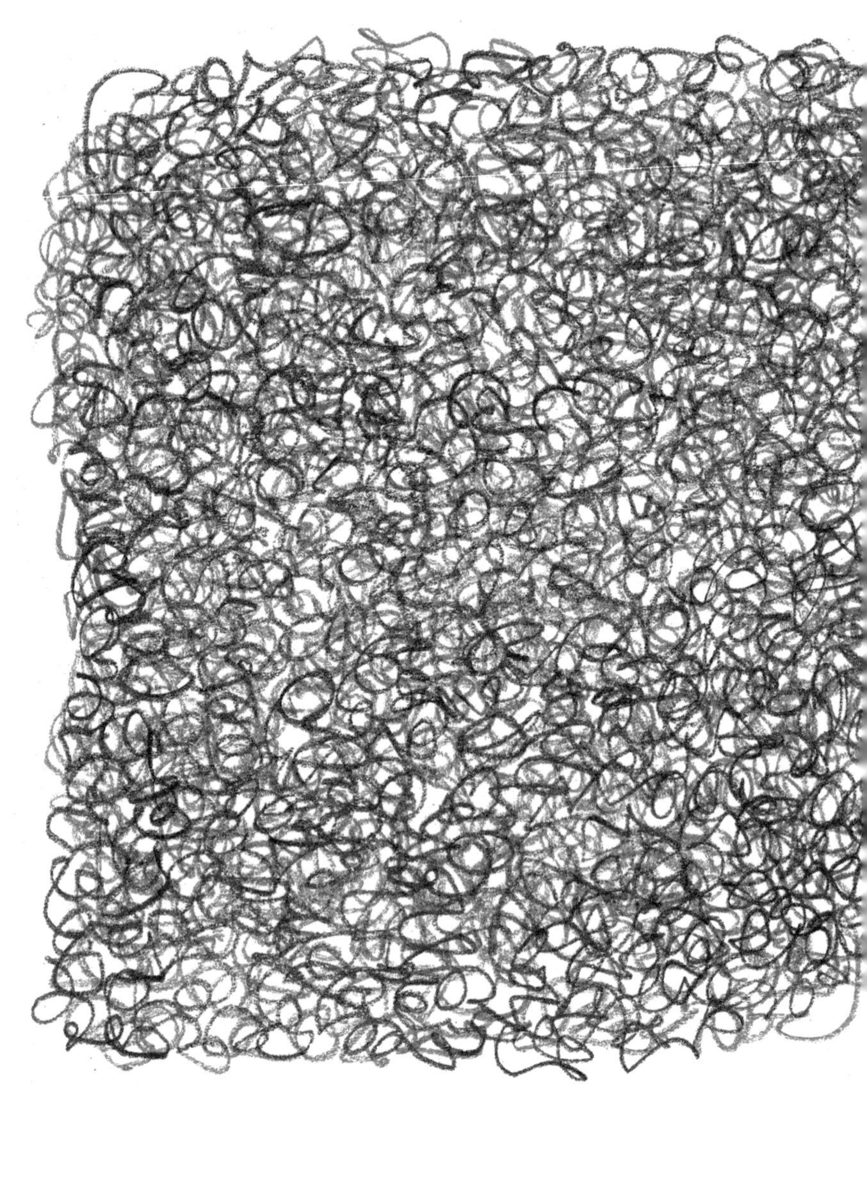

Ond wrth i bawb redeg allan o'r adlen, nid Alfred oedd yr unig un mewn penbleth.

Tu allan, welodd neb y dyn tal pen moel yn tynnu ei sbectol haul a'i ffrog wen ac yn eu rhoi'n dawel bach mewn bocs o dan fan tad Dewi Griffiths …

Welodd neb ddim byd.

Oherwydd ROEDD POPETH O'R GOLWG MEWN NIWL, TRWCHUS, TRWM …

AC ROEDD POB CARAFÁN **WEDI DIFLANNU!!!!!!!**